時代の潮流

一片のかけらと在日二世のつぶやき

柳英一

三一書房

実際にその目で見て
感じたことに真実がある

もくじ

はじめに

この本は一片のかけらともいえる私の「つぶやき」を書いたものです。

現在、私は後期高齢の在日コリアン二世になります。

北陸の小さな海辺の町で生まれ育ち小、中、高と一二年間地元の日本学校で学んできました。

卒業後は東京に出てきて、とある企業などに勤めましたが、五〇歳半ば頃に体調を崩して退職。

その後は考古学、特に「渤海（パレ）（ぼっかい）」の研究にいそしんでいます。

渤海というと韓国の大河ドラマ「大祚榮——テ・ジョヨン」（全一三四話）で有名になり、日本でも少し知られるようになりましたが、かのテ・ジョヨンが建国した国です。

とはいえこの本は渤海の研究書ではなく、私の自叙伝というものでもありません。

韓国（大韓民国）のソウルや北朝鮮（朝鮮民主主義人民共和国）のピョンヤンへも、短い期間ではありますが何回か訪問した在日の私としては、同じ民族が仲良く、また日本とも仲良くしていくのが一番いい未来像だと信じて疑いません。それでも現在はまだ南北の統一や、北と日本との国交回復、核やミサイルのことなどテーマは山積しています。

考古学では「一片のかけら」から千年前の謎を解明するといいます。「一片のかけら」が何を意味するのかが分かれば解明することも多いのが考古学です。

朝鮮半島を取り巻く動きが「激動」といってもいいくらい目まぐるしいなかで、自分が思っていることを「つぶやく」ことが、少しでもお役に立てればと思って筆をとりました。

遺言といっては大げさですが、この本を手に取ってくださる方、お一人おひとりに話しかけるようにいろいろとつぶやいていきたいと思っています。

「一片のかけら」である私のつぶやきから、新しい何かを発見されることを願ってやみません。

第一章　韓ドラから見えてくるもの

ドラマ「愛の不時着」

まずは韓ドラ――韓国ドラマのことをつぶやいてみます。

ネットで現在も配信されている「愛の不時着」（全一六話）。このドラマはコロナ感染拡大初期の閉塞感が漂うなか、日本でも大きな話題となりました。日本配信開始は二〇二〇年二月二三日ということですから、横浜で大型クルーズ船から感染者が出て大騒ぎしていたころです。

私のまわりでも久しぶりに「『愛の不時着』、もう観ました?」という会話がよく交わされるようになりました。第一次韓流ブームのきっかけともなった「冬のソナタ」や「チャングムの誓い」以来のことではないでしょうか。

「愛の不時着」主演の主人公二人が結婚したというのも、のちほど話題をさらいました。主演女優のソン・イェジンは二二年一一月に男児を出産したそうです。

ドラマ放映から数年経ちましたが、Netflix（ネットフリックス）では根強い人気を誇っています。

観る人によってそれぞれ見どころや印象的な場面というのがあると思いますが、北も南も旅した経験をもつ私には特別な感慨がありました。

例えば、主人公ユン・セリがリ・ジョンソクに「アフリカにも南極にも行けるのに、あなたはここ（北）にいるのね」と語る場面がありました。南北分断の厳しさをこんな風にさらっと触れる制作者の思いを感じとれます。改めて南と北はそんなにも遠いのか、ということです。

またドラマのPR写真に使われたシーン――畑に藁を寄せ集めて野宿する場面がありました。あれは列車が停電のために一〇時間以上停車するというハプニングのせいでした。電車が一〇時間も止まってしまうというのは日本では考えられません。乗客はきっと大混乱、パニックにもなりかねません。でもドラマでは淡々と、汽車を降りて野原でピクニックというような雰囲気です。そこへそんな乗客目当ての物売りがバァーッと集まってくるのです。

ロマンチックな映像のように描かれていて、こんなに大変なことが起きているというのに、セリに「どんな汽車に乗っても必ず目的地に着いてくれたらうれしい」と語らせるのです。ここでも制作者の「一片のかけら」を感じました。目的地は統一ということをいいたいのだろうと、私は勝手に想像してしまうのです。

私が南だけでなく北にも行ったことがあると知っている韓国ドラマ好きの友人たちには、「あそこで描かれている北の様子なんかは、実際のところどうなんですかね」と尋ねられることがよくあります。

私の答えは、「よく描かれています。純朴な人びとや、生活の様子などは実際に見聞きしてきたものにかなり近いかもしれない。でもあそこに登場してきた百貨店の女社長というような設定はちょっとありえないですね」というものです。

ただ私の実感からも、このドラマはなんらかの方法でかなり北の情報を得ているように思われました。

停電が一〇時間というのは日本ではよっぽどの災害などが起こらなければありえませんが、北朝鮮ではよくあることのようです。

もうずいぶん前になりますが、親戚の田舎がある北朝鮮のH市という北部の鴨緑江（アムノッカン）沿いの街を訪問したときのことです。距離としては東京から岡山ぐらいで新幹線のぞみだと約三時間二〇分ぐらいのところなのですが、途中何度も臨時停車するため、ピョンヤンを出発してからH市に着くまで三二時間もかかったことがありました。停電だけが理由ではないにしろ咸興（ハムン）や端川（タンチョン）、吉州（キルジュ）などの駅では何時間も停車することがあります。なので駅のホームで弁当を買いながら、のんびりすぎる旅をするわけです。新幹線などで目的地まであっという間に着くという旅もいいですが、この、のんびりもまた牧歌的でおつなものでした。

私は乗車する前からそれを想定していたので、日本から持っていった文庫本を読んで、まったく退屈することなく最高の動く図書室になりました。狭い空間、動く列車、たまの車窓風景、速度の遅さ、読書にはばっちりの条件がそろっています。

あと二〇ページぐらいで前半が読了となるときに到着したので、もう少し時間が欲しかったと思ったぐらいでした。

同行した現地の案内人が退屈したり、外交辞令の会話などをして気を遣ったりさせたくなかったので、その方にはピョンヤンの本屋で買った『力道山物語』を差し上げました。

力道山は北朝鮮の咸鏡道（ハムギョンド）出身で、娘さんが北にいるので、今でもとても人気があります。

力道山は最近亡くなったアントニオ猪木さんをプロレスラーとして育てたというこ

とで日本でも話題になりました。ちなみに猪木さんは日朝友好親善に尽力された方で、向こうでは大変人気があります。また日本にいる私の親戚などは「闘魂」と書いてもらった色紙を壁に飾っているほどでした。

さて、その案内人は大喜びで『力道山物語』を車中ずっと食い入るように読んでいました。たまに笑ったり、胸を打たれたのか、涙さえ流していました。

私の計画が成功してお互い無駄な会話もなく、退屈もせずに三二時間を過ごしたことが今でも懐かしく思い出されます。

ちなみに私の読んだ本は「〜の旅人」というフレーズが入った小説で、上下巻ものでしたが、往復でちょうど完読しました。

旅をしながら「旅人の本」とは全く贅沢なことでした。

その本の舞台はヨーロッパですから北朝鮮の列車に乗りながら頭はヨーロッパの大地をめぐるという貴重な体験をしたものです。

この停電そして列車の長時間停車のことについてあとでまた触れます。

また、「愛の不時着」に出てくる謎の人物――イギリス国籍の韓国人実業家ク・スンジュンがいうセリフで、「世界的投資家ジム・ロジャースが、全財産を朝鮮半島にかけてもいい」というのがあったことに驚かれた方が多いのではないでしょうか。統一または平和になれば朝鮮半島が黄金の半島になることが予見されて、雑誌などだけでなくドラマにもジム・ロジャースのことが引用されるまでになったのかと意外なところで発見がありました。

その実業家のク・スンジュンとピョンヤンの百貨店の女性社長の娘ソ・ダンとがひょんなことから助け、助けられながら徐々に惹かれあっていく過程はドラマの主人公カップルがどっちなのかと思わせるほど面白いのです。

プライドの高いダンとすこし遊び人風のスンジュンのふたりが、最後のあたりでは次第に互いに愛し合うようになる。脚本もそうですが脇をかためる俳優陣の水準の高さが感じられました。

在日の若い人たちの間では、今はこっちの二人の話で盛り上がるとも聞きました。

軍事境界線での別れの場面は特に印象的でした。セリかジョンソクのどちらかが撃たれるのではないかと心配もします。ひやひやドキドキものでした。

南北を分断する境界線は悲しいかな、今双方の観光名所になっています。多くの方が南から板門店にある統一展望台で見学しますが、私は北から見たことがあります。そこから見る光景はやはり米軍が目立つということでしょうか。

南から行くときは「これから起こることに関しては責任を問わない」という誓約書にサインしなくてはなりません。自己責任ということですね。スリル満点の大きな観光名所です。

もともと三八度線は北緯三八度ということで、地図上に直線で引かれたものに過ぎません。朝鮮戦争以前はそれでも人びとが行き来し、牛や農産物も売り買いされていました。

それが一九五〇年六月に勃発した朝鮮戦争によって一変します。現在では休戦ラインは西部が下がり東部が上がっています。

開城（ケソン）は実際の北緯三八度より南に位置しますが北朝鮮に、逆に雪岳山（ソラクサン）は北に位置しますが韓国になります。

開城は高麗（コリョ）約五〇〇年（九一八～一三九二）の都でした。王建（ワンゴン）（注1）が創建した国です。高麗は朝鮮半島最初の統一国家だといいます（韓国では新羅が初という説があります）。王建については「太祖王建」として全二〇〇話の大河ドラマになっていて、すでに観られた方も多いかもしれません。

ちなみに開城の歴史建造物群と遺跡群はユネスコの世界遺産に登録されています（北朝鮮では他に高句麗古墳群が登録されている）。

開城では「血の橋」というのを見学したことがありました。この善竹橋（ソンチュクキョ）は高麗の重臣・鄭夢周（チョンモンジュ）が李成桂（リソンゲ）（注2）の五男李芳遠（リバンウォン）（後の三代目国王太宗。子息に世宗大王がいる）が放った刺客によって殺害された場所だそうです。そのときの血が苔むして橋にこびりついてるという説明を受けました。

説明を受けたときの雰囲気としては威化島（鴨緑江の中州）からUターンして、高麗を裏切った李成桂のことをあまりよく思ってないような感じがしました。（これはどこまでも個人的感想）

李氏朝鮮は「王」という苗字の人を無残にもすべて根絶やしにし、国の宗教を仏教から儒教にしてしまいます。

南北統一されたらその「高麗」を統一国家の名前にするという案は以前からあります。ＫＯＲＥＡはそもそも高麗からきています。

さてここで韓国映画についてちょっと触れておきます。

「ＪＳＡ」（二〇〇〇）という映画のことを多くの方が記憶されているかと思います。

ＪＳＡ（共同警備区域）が舞台となっています。ソン・ガンホ演じる北の兵士が人間味あふれる姿で描かれ注目されました。そしてイ・ビョンホン演じる南の兵士がチョコパイをあげようとする場面も印象的でした。

もっとも南北の兵士同士が親しみを感じる機会は現実にはあり得ません。敵味方として対峙しているのですから。でも本来であれば同じ民族の若者同士、なんのわだかまりもないはずです。

この映画にはのちに「宮廷女官チャングムの誓い」（全五四話、二〇〇三）で話題となり、日本でもファンの多いイ・ヨンエがコリア系スイス人将校として出演していました。

映画では直接描かれることはありませんでしたが、私は一時休戦協定を話し合った会談場のことが印象に残っています。（現在は北朝鮮の平和博物館）

ここは開城にあるため韓国側からは観光客が行くことができません。

私は北を訪問したときにここを訪れ、休戦協定時に交わされた激しい応酬の話を聞くことができました。このときつくづく思ったものです。戦争というものは始まってしまえば、終わらせるのがとても難しいんだなということです。

休戦協定の調印で署名したときも、アメリカのハリソン少将と北朝鮮の南日（ナミル）将軍はともに一言もしゃべらず、握手もせず、お互いにその顔さえ見なかったということです。

「愛の不時着」でセリが南の地へ戻るときの場面も、同じこの軍事境界線を越えなくてはなりません。ここでは過去に幾多の歴史的出来事やドラマがありました。

南北のトップ同士の会談はもちろん、トランプ前大統領のこと、ポプラ事件（注3）などなどあるなかで、私が一番印象に残っているのは、韓国の財閥現代（ヒョンデ）の創業者鄭（チョン）周永（ジュヨン）氏の「故郷に錦を飾る」事業です。

鄭周永氏は、もともと出身が北の地でした。彼は一七歳のとき父親が売った牛一頭の代金を手に家出、やがて南の地で事業に成功します。

それから六五年後の一九九八年、氏は北に贈る五〇〇頭の牛をトラックに乗せ、板門店経由で北を訪問しました。その後も五〇一頭を贈り、合計一〇〇一頭になります。

軍事境界線を牛の群れが通過する光景はどんなものだったでしょう。

金大中（キムデジュン）大統領の「太陽政策」の下、これでもう統一はすぐだと南から北へ渡る牛の大群を見た人は思ったことでしょう。

それから二五年も経過したというのに現在はかえって関係が悪化。

どんな政治力学が働いて北と南の統一を阻み続けているのでしょうか。

「愛の不時着」に戻ります。

ピョンヤンの空港に向かう途中、セリが乗っていた車が北のトラック部隊に襲われますが、バイクで併走していたジョンヒョクがセリを救い出します。しかしこのときジョンヒョクは銃撃を受け重傷を負ってしまう。セリは南に帰ることより瀕死のジョンヒョクを救おうと猛然と車を飛ばして病院に連れて行き、自分の血を輸血までして助けます。このように印象に残る場面が満載です。

とくに街灯のない市場で迷子になったセリをアロマキャンドルを片手にかかげ見つけ出してくれるところなどは後期高齢者の私ですら胸がキュンとしてきます。

北朝鮮の中隊長役のジョンヒョクが人気が出るのもわかりそうな気がします。

ジョンヒョクの名セリフを集めている人もいるようです。

たとえば、

「約束したんだ、見えてる間は守ってやる」

「会いたいと心から願えば会いたい人に会えるかと聞いただろ？　きっと会える」

「忘れてはならないのは、憎い人ではなく、好きな人だ。人を憎み続けると気持ちが荒れて傷つく。君が損をするよ。好きな人のことだけを思って生きるんだ」

「日々の生活に散りばめられている小さな幸せを忘れないで」

「君に白髪が生えて、シワもできて、老いていく姿を見てみたい。きっと綺麗だろうな」

「来年も、その次の年も、その翌年も幸せな日になる。〝生まれてきてくれてありがとう〟〝愛する人がこの世にいてくれて嬉しい〟と思っているから。だから、ずっと幸せな誕生日になる」

なにか著名な哲学者の名言集のようですが、セリやジョンヒョクの名セリフ、ベストテンはなにか、と言いあっている人もいるらしいですから人気が普通ではない様です。

河原でのキャンプで子豚をつぶすのをいやがるセリを考慮して、隊員たちが魚をとる場面も新鮮でした。

このとき隊員の一人がセリのために即興詩を朗読します。

この場面を見たとき、やはりわが民族は詩がごく身近にあって好きなんだなと強く感じました。日本では即興詩を朗読するなんてちょっとありえない場面と思われるかもしれません。でもコリアではごく普通の、よくあることなんですね。

私が初めて韓国に行ったとき、ソウルの仁寺洞（インサドン）というところを散歩したのですが、詩集を売る出店がありビックリしました。たまたま入った喫茶店にも詩集が置いてあります。書店も詩集のコーナーがとても大きいのです。詩集専門の書店というわけでなく、日本とはだいぶ読者の好みが違っているのだなと少し驚きました。

詩のコーナーが充実しているのは北の書店も同様でした。なにか大きな行事があると詩でそれを称賛したり、または詩で敵を罵倒したりもします。長編叙事詩などもとても多いのです。

趙基天（チョギチョン）は朝鮮戦争中に戦死しましたが、長編叙事詩「白頭山」（一九四七）、「たたかう麗水」（一九四八）などは今も人気があります。若者の間で大人気だった「フィパラム（口笛）」の作詞者でもあります。

コリアでは古くから数多くの詩人を輩出してきました。

日本でも尹東柱（ユンドンジュ）（一九一七～四五）や「青葡萄」の李陸史（イユクサ）などが有名です。

特に尹東柱は立教大学、同志社大学に学んだことで人気はいまでも健在です。彼は同志社大在学中に検挙、治安維持法により懲役二年判決を受け、福岡刑務所に服役中、二八歳で獄死しました。一九四五年二月一六日、植民地解放のわずか六か月前のことでした。

「死ぬ日まで　空を仰ぎ見　一点のはずべきことなきを……」で始まる「序詩」はあまりにも有名ですが、私は「弟の印象画」というのも好きです。

赤いひたいにひんやりと　月がかかり
弟の顔は　悲しい絵だ。

あゆみを止めて
そおっとあどけない手を握り
「おまえ大きくなったら何になる」
「人になるよ」
弟の哀しい、何とも哀しい答えだ。

握っていた手をそっと放し

弟の顔をまたのぞきこむ。
ひんやりと　月が赤いひたいに染まり
弟の顔は　悲しい絵だ。

『詩で学ぶ朝鮮の心』（大村益夫編訳、青丘文化社）

言葉も名前も奪われた植民地という時代背景があります。それゆえ解放後の南北の分断対立や、朝鮮戦争のことなどを考えると、複雑な思いがしてなりません。

北と南をへだてる臨津江

また歌では「臨津江」（注4）は良く知られています。

この「臨津江」は北でも南でも日本でも有名な特別な歌です。

「愛の不時着」にはぴったりの歌かもしれません。このドラマの導入場面がまさに臨津江と思われる川の上空をゆったりと自由に飛んでいく鳥の映像から入っていくことに気づかれる方も多いのではないでしょうか。

「臨津江」の作詞（作曲：高宗漢）は北朝鮮の国歌「愛国歌」の作詞者でもある朴世（パクセ）

永（ヨン）です。ちなみに朴世永は京畿道高陽郡の出身ですので、故郷は南です。「臨津江」を「림진강」と書く人もいれば「임진강」と書く人もいます。

南北で違うのがこのラ行の部分です。分断後の年月の間にそれぞれ表記法などのルールが変わってきました。北では表記はそのままで発音は人の苗字以外は、慣習通りです。例えば人名の「李舜臣」は北では「리순신」と表記し、「リスンシン」と発音。南では「이순신」と表記し「イスンシン」と発音することになります。発音に合わせた表記をします。

「臨津江」の場合、北は漢字表記の「림진강」としますが、発音するときは「イムジンガン」となるわけです。南では表記自体を発音通りにするというような感じでしょうか。まあそれほど大きな問題ではないと私は思っています。統一されれば、また新たなルールができるに違いないでしょう。言葉というものはそういうものですので。

ちなみに日本では「イムジン河（がわ）」という風にいわれてます。

イムジン河は井筒和幸監督の映画「パッチギ！」の主題歌にもなりました。未熟ですが直訳してみました。

イムジン江

イムジン江　水清く　さらさ～らと流れゆき
水鳥は　きまま～に　はばたき飛んでゆく
我がふるさと南の地　行きたくも帰れない
イムジンの流れよ　哀しみ乗せながれゆく

メロディに合わせるので、日本では多くの訳があるそうです。

そして多くの人に歌われています。一行目の原文はフルロフルロネ～リ～ヨですが、多くの訳はこの独特の擬態語を「静かに流れゆき」などとなっています。最後の部分も直訳では「恨めしい思いを乗せて流れゆく」ですが、大方は「答えておくれ」になっていますね。

また先日（二〇二三年二月一〇日）、NHK総合の「アナザーストーリー選・運命の分岐点」で「時代に翻弄されたイムジン河」が再放送されていました。（二年前のBSプレミアムと思われる）

ここでは作詞家の松山猛が日本語に訳詞したときのエピソードが語られていまし

た。京都朝鮮中高級学校にサッカーの親善試合申し込みに訪れたときに流れていたメロディーが美しく印象に残り、後日譜面を取り寄せたそうです。一九六七年、ザ・フォーク・クルセダーズがメジャー・デビュー前に発表。六八年二月、レコード発売前日にいろいろな事があり発売中止になり話題になりました。

その後情勢の変化などにより二〇〇二年に発売されます。

二〇〇一年にはキム・ヨンジャが紅白歌合戦で熱唱、また彼女は北のピョンヤンでも南のソウルでもこの歌を歌います。キム・ヨンジャにソウルの自宅でインタビューをしたときの映像が流されましたが、彼女が終始手で涙をぬぐいながら、南北に分かれている分断の悲しさを語っていたのがとても印象的でした。私とて涙なしには歌えない歌です。

「愛の不時着」では河原でバーベキューという場面がありました。このとき軍隊のメンバーがいい味を出していました。最近、徴兵のことで大きな話題となったＢＴＳのメンバーのことを思うと複雑な思いがしてなりません。入隊した彼の仮想敵は誰なんだろうか、と。

ドラマを見て驚いたのは別なところにもありました。それは北朝鮮で生活する人々への目線です。ラブストーリィとしての魅力が満載のドラマですが、同時にこれほど北で暮らす普通の人びとの生活に触れた作品は、これまでなかったように思います。地球上のどこにでも営まれている人と人のつながり——助け合ったり、ときには足の引っ張り合いがあったり、ごく当たり前の日常を描き出すことで見えてくるものはなんでしょうか。同じ人間同士なんだ、という気づきだと思います。まして通訳の要らない同じ民族同士だということも大切なことですね。

南はずいぶん長い間「北のパルゲンイ（赤）たちには角が生えていて鬼そのものだ」と教育、宣伝してきました。まさに日本の戦前の「鬼畜米英」と同じです。北では「他人の地に踏み込んできているアメリカ帝国主義をこの地から追い出そう」とスローガンが明白です。

南では「北には鬼が住んでいる。鬼をやっつけろ」というしかなく、強烈な反共を貫きました。まさか、気にくわないから兄弟をやっつけろとは、説得力がないでしょうから。

解放後のマッカーサーの反共主義は異常なほど韓国の政治認識を変え、「反共」が国是となっていきました。

南だけの単独選挙反対に端を発した済州島の「四・三事件」（一九四八）での悲劇はその端的な例でしょう。このとき虐殺された住民の数はいまだ確定されていません。村ごと全員が殺され焼かれてしまったら、そこに住んでいた人のことを証明するものがなくなってしまうのです。島民の四人に一人が犠牲になったともいわれています。同時に本土でも単独選挙に反対した闘いが繰り広げられて南では多くの人が検挙、処刑されました。

この済州島の「左翼勢力」を倒そうとする米政府の動きはほぼ同時期日本にも大きな影響を与えたといわれます。

関西地域での民族学校に対する弾圧がそうです。

四・二四阪神教育闘争（一九四八）につながっていきます。命をかけた同胞たちの抗議に兵庫県知事は学校閉鎖令を撤回しますが、翌二五日、米占領軍は非常事態宣言を発し、撤回無効を宣告します。

このとき千数百人が逮捕投獄されましたが、在日朝鮮人はひるむことなく二六日、大阪府庁舎前で一万六千人が抗議集会をひらきます。これに対して官憲は放水と拳銃を乱射し、このとき一六歳だった金太一という少年が射殺され犠牲となりました。

日本は敗戦と同時にGHQの占領下に置かれ、戦前・戦中の軍国主義から「アメリカの民主主義」が持ちこまれましたが、三年も経たないうちにアメリカ国内も反共の嵐が吹き荒れるように急旋回していきます。赤狩りによって多くの映画人、作家、組合活動家等々が取り調べを受け投獄されるようになっていきました。

もちろんアメリカの急旋回はそのまま日本、韓国に影響を及ぼさずにはいられません。一九四九年九月八日には民族学校の母体、朝連（在日本朝鮮人連盟）に抜き打ち解散命令を出します。

在日のハルモニ（おばあさん）たちですら、パルゲンイ（赤）は浸透していて、「赤」といえばまるで悪の権化のように思われてきました。

勝共、滅共が長く韓国のメンタリティになってしまったのです。

ところが「愛の不時着」では角が生えて怖いはずの北の人々を、普通の素朴な人たちだということを――ある意味、ごく当たり前のことですが――表現したエンタメとなっていて、画期的なドラマだといえます。

鴨緑江で魚釣り

私の経験ですが、例の三二時間かけて行ったH市の親戚訪問したときのことです。一〇歳年上の従兄が帰国していて、約二〇年ぶりの再会でした。着いたその日の夜、隣近所が集まって歓迎の夕食会を従兄の家で催してくれました。このとき一二、三人が集まってくれたように記憶しています。

その席で日本では飲んだことがない強い度数の酒をすすめられました。ヤンガンスル（両江酒）とかいうアルコール度数が五〇度もある酒でした。ウォッカのようなものです。H市は北朝鮮でもさらに最北端の寒い地方ですから強い酒が好まれるのでしょう。

夕食会が始まって一時間ぐらいで、ストレートでグラス五、六杯以上は飲んだでしょうか。

私はすぐにメロメロ、ヘロヘロ状態になってしまいました。なにしろ乾杯、一気、乾杯、一気の連続です。

そんなヘロヘロ状態の私が発した言葉が次のようなものだったと後から従兄から聞きました。ベランメイ調だったそうです。

「この従兄は日本では鮎を引っ掛けて獲る町の名人であーる。もぐって一息で二匹をつかまえる腕は一番であったのであーる。町では知らない人はいなーい、れろれろ……。この有名な鴨緑江とやらで魚釣りが出来れば最高ですが、メロメロ、どうでっか、やらせてもらえまへんやろか、れろれろろ……」

ということを半分ふらふらになりながらしゃべったようです。

記憶は定かではありません。ただ酔って酔って酔いまくったことだけは覚えています。なにしろ約二〇年ぶりの再会ですからうれしかったんですね。それに加えて五〇度の酒。向こうの人も同じぐらい飲んでたのに、彼らは平然と飲んでたような気がしました。

次の日のことです。朝七時ごろ近所のおじさん三人が私の宿舎である従兄の家を訪問してきました。そして、

「今から鴨緑江に魚釣りに行く」

というのです。

昨晩の脅迫じみた約束（?）を果たすというのです。

エエッと驚きました。

私、そんな約束しましたっけ？　状態。二日酔いでフラフラです。しかし思ったほど頭は痛くありません。とりあえず従兄とともに車に乗せられ鴨緑江に行きます。上流なので川幅は広くなく対岸の中国も目と鼻の先です。

四月初めとはいえ、まだ寒さが残っています。

まず一時間ぐらい竿を傾けます。餌はミミズのようなものだったと記憶しています。あたりは全くありませんでした。

そのうち網を持ち出し投げ網です。丸い輪を描き何回も挑戦しますが、魚は一匹も網に入っていません。

私たちは寒いので枯れ木を集め焚火をしながら交代で網を投げますが、雪の白頭山からの冷たい水が流れてくるので、とても長く水につかっていられません。

彼らは「魚はどこいったんやろか」「そーれ」なんていいながらしつこく挑みますがやはり網にはなにもかかりません。

いたたまれなくなった私が「ありがとうございます。もういいですから帰りましょうよ」というと、彼らは「ほな魚屋で三、四匹買って釣ったことにしましょうか」といいながら、ようやく腰を上げてくれました。

寒く冷たい鴨緑江でしたが、心にはなにかすごくほんわかとした温かさを感じたことが昨日のように思い出されます。

素朴でやさしいオッサンたちでした。

他にもたくさんエピソードがありますが、向こうの人はとても素直で純粋な人が多いなというのがこのときの記憶として残っています。

この魚釣りの日の昼、また近所の二人が訪ねてきて、この町だけでは退屈だろうからとドライブに連れて行ってくれました。西に三〇キロぐらい行ったところに新坡（シンパ）という村があるのでそこに行ったのです。舗装が完全ではないので車はガタガタと揺れるのですが、山道は風情がありました。

着いたらまた酒です。昼食の食前酒のような感じです。

迎え酒だと思ってこれもいいかと、赤ワインのようなものを飲みました。これがまた美味で何杯もお代わりしてしまいました。

何年か経って、先祖の故郷である韓国の慶尚北道の田舎に行ったときに、このときのことが突然くっきりと蘇ってきました。泊まったホテルで出された赤ワインが北の新坡で飲んだワインと全く同じ味をしていたのです。

その日は慶州（キョンジュ）の仏国寺（プルグッサ）を見学したあと国宝の石窟庵を見に行き、山道をずいぶん歩きました。道すがら「英国人にはシェイクスピアがあるが我々には石窟庵がある」という看板があって妙に気になったのですが、ここは新羅（シルラ）第三五代王のとき西暦七五一年に石仏寺として創建されたということでした。

由緒あるものを見たばかりだというのに、ホテルに帰ってきて赤ワインを飲んだら一気に北朝鮮の村でのことが蘇ってきました。

北のその村は水が少ないときは対岸の中国に歩いていけるということで解放前は女性闘士たちが頻繁に行き来し活躍した村でした。その酒は山ブドウのようなもので造ってあり「トルチュッスル」とかいってそこの名産品のようでした。

舌が南の果てから北の辺境に連れて行ってくれたのです。昼だったせいか電気も点いてない薄暗いレストランでしたが、ひなびた雰囲気が旅情をさそい、料理を運んでくるウェートレスも純朴そのもので、心が和んだことや村人のやさしさなど、そのときの情景がくっきりと蘇ってきたのでした。

さて寄り道が長過ぎましたが「実際その目で見て感じたことに真実がある」と私は思っています。なのでこのようなエピソードはときおり紹介することにしましょう。特に現在北は制裁のため「秘境」のようになっているので興味をもたれる方も多いかもしれません。

韓国の映画も北朝鮮の〈特殊工作員〉を内面から理解しようとした「シュリ」（一九九九）など、時代を経るにしたがって少しずつ変わってきます。

この「シュリ」もこれまでの映画とはちがったものでした。南北の両首脳がサッカー大会に参加するということを舞台にしたもので、それぞれの工作員同士の間で会話が交わされます。（サッカー競技場のライトの下に爆破物が設置されている場面で）

北——ここで一段階の作戦が終われば、すぐにわが人民軍の統一戦争が始まる。
南——無謀だ。今でも遅くない。ライトを消せ！
北——悪いが、この地の歴史と祖国の英霊たちはそんなことを望んでない。
南——またお互いの胸に銃剣を向けることは、もっと望んでないだろう。
北——革命に苦悩はつきものだ。
南——その戦争の結果が私たちに残した苦しみを知っているのか。

北――知っている。よく知っているぞ。戦争の苦しみが何か、分断の苦しみが何かを。もう終わらせるときがきた。

南――今日のこのゲーム（南北親善競技）はその苦しみを終わらせるためだ。

受け止め方は各自それぞれあるでしょうが、後期高齢者の在日二世ともなれば、「もうええかげんにしてくれ、たのむよ」と思わず声を上げたくなってしまいます。

「特殊工作員―ヒドゥンプリンセス」（韓国原題「口笛姫」、二〇〇二）、この映画は、北朝鮮最高指導者の娘ジウンが舞踊団の一員としてソウルに来るというものです。そしてジウンは突如ホテルを抜け出します。

南北の和解ムードを壊したいＣＩＡはテロ部隊を送りジウンを抹殺しようとするのですが、それぞれの秘密情報員たちは互いに助け合いながらＣＩＡに対抗する。好意すら寄せあっていきます。憎しみ合う必要はない。自分たちの共通の敵は本当は誰なのかを改めて気づかせてくれたのではないでしょうか。

「ラブ・インポッシブル　愛の統一戦線――原題・南男北女」（二〇〇三）。「南男北女」

（ナムナムプンニョ）というからのいいまわしがあります。男だったら南出身が恰好よくて、女だったら北出身が美人だということです。日本だと「東男に京女」と同じようなニュアンスでしょうか。

この映画は南の遊び人風の男と北のエリート女子大生が主人公です。それぞれ南と北の大学生代表として中国での高句麗古墳の発掘団に参加し、恋に落ちます。幹部の息子、娘なので当然のこと二人の仲は許されず、ともに強制送還。やがて時代が過ぎ、歴史学者になって訪朝した男が最高指導者の前で結婚を申し込む。

北を「赤だ」「敵だ」というイメージから徐々に変化してきています。

「ブラザーフッド」（二〇〇四）。朝鮮戦争を主題に取り上げています。ここではソウルの兄と弟が戦争の犠牲者となっています。戦闘の場面では韓国軍及び西北青年団（反共組織）の捕虜虐待と住民虐殺を描写。戦争における被害者とは、そして加害者とは何なのか。改めて問い直し考えさせる作品です。兄役のチャン・ドンゴン、弟役にウォン・ビン。一方的な「反共」の歴史観に対する挑戦のようでもありました。同じ民族でありながら戦わざるを得なかった人びとの怒りと悲しみが伝わってきます（一二〇〇万人動員）。

金大中政権（一九九八～二〇〇三）、盧武鉉（ノムヒョン）政権（二〇〇三～二〇〇八）の間は、ますます変わってきます。

「トンマッコルへようこそ」（二〇〇五）は、朝鮮戦争中、政治状況とは全くかけ離れた桃源郷の村で遭遇してしまった南北の軍人をめぐるファンタジー。ついには南北の軍人同士が意気投合して小さな村トンマッコルを守るという話です。韓国軍兵士より北の人民軍兵士のほうがずっと人間的に表現されているように思えたのは私だけの感想でしょうか。避難が続くなか、北朝鮮軍の南下を阻止するために漢江（ハンガン）の橋を爆破し多くの民間人を殺してしまう韓国軍の姿などが描かれていて意外な印象を残しました。韓国では八〇〇万人を動員したと聞いています。

コロナ・スティホームのなか、この映画を再度観てみましたが、やはりなかなかの名作でした。

とはいえ、北朝鮮の村落を舞台にして村人たちをあのように表現したのは「愛の不時着」が初めてなのではないでしょうか。

実際に訪れたことのある人たちから取材して、相当研究したものと思われます。当たり前の話ですが、その当たり前がいまだ実現しないのが分断という現実です。ですから南のドラマでこのように撮るのは大きな変化だといえるかもしれません。

「冬ソナ」のチェ・ジウまで実際に登場させて、韓ドラおたくの北の兵士までファンであったと描写するなど、コミカルであると同時に、手の込んだ撮り方には舌を巻きました。

世界卓球 イン・ジャパン

「愛の不時着」を観て、三二年前の日本でのある光景のことが頭をよぎりました。幕張メッセで開催された世界卓球選手権大会です。

卓球の世界選手権を日本が主催した一九九一年四、五月はまさに「愛の不時着」そのものでした。もう最近の若い人は知らない人も多いかもしれませんが、北と南が合同チームを組んで参加し、向かうところ敵なし状態の中国を打倒した試合でした。

私はその当時の記事をスクラップして今も持っています。在日の民族系新聞はもちろん、五月一日の主要五紙とスポーツ新聞記事の切抜きです。

総連の朝鮮新報はこのときの試合を「コリア女子チーム　世界制覇、民族団結の力を全世界に誇示」「三時間四六分の熾烈な激戦」「中国を三‐二で打勝」同胞の声の欄には「もう本当に統一がなった」と報じています。

韓国の京郷新聞は「ピンポン玉が万里の長城を超えた」と表現して優勝を称えました。

東京新聞は「統一パワー世界の頂点」「コリアV、もう国境なんてない」

毎日新聞は「涙、涙、……統一コリア」「南北乙女新時代開く」

朝日新聞は「統一V高らかアリラン」「一つの応援団総立ち、マンセイ一斉に連呼」

読売新聞は「分断後南北双方で歌い継がれてきたウリエソウォン（私たちの願い）の歌声が響く。「私たちの願いは統一。夢のなかでも私たちの統一。一日も早く皆一つに。それを心から願う……」

スポニチは「コリアベンチは報道陣が殺到しまるで三社祭のミコシのようにもみ合った」

総監督は「四八年間分断したコリア民族の期待にそえてうれしい」

タイトルだけみると統一がなったような記事です。

毎日新聞に茨城県土浦市、在日一世キム・オボンさん（八五歳）の言葉が載っています。

「統一チームとして選手はよく働いた。いままで南北で多少のわだかまりもあったが、立派な大会で南北の気持ちが溶けあった。これで国家の統一の機運も盛り上がってくれると思う」

玄静和（ヒョンジョンファ）とリ・ブンヒの南北キャプテンの涙の抱擁。

その玄静和は「神様が私たちを愛してくれている」とまでいいました。

国歌代わりの「アリラン」は涙の大合唱でした。

このとき会場にいた私は同行した母がその場で泣き崩れてしまったことを今も忘れません。

ここである在日企業のPR誌（一九九一年五月号）に掲載された詩を紹介します。

キッパル（旗）

梁蓮子

わたしは　泣いた　心の底から
キッパル　おまえ
われわれのほこりよ

おまえが空高くはためく時

八二歳の　この胸　感激にふるえ
おまえを　北も南もなくだきしめる時
わたしの気持　とぶようにおどる

アリランが　ひびきわたり
マンセーのさけび声の中
キッパルよ　おまえは
どれほど堂々たるものか
ジョンファがプニの汗をふく
そのすがたに　この老婆の心
どれだけあたたまったことか

一つのキッパルでたたかった
わかものたちに
ありあまる拍手をおくった
このしわがれた　手を見る時

なにかが走馬燈のごとくかけめぐる

その昔若人たちが銃口をむけあった
この地の不幸をおもうとき
またその昔国がなく勝っても
自国のキッパルなどあがらなかった
ながく暗い日々を思うとき
このハルモニは今日胸がはりさけん
ばかりうれしくおまえを見上げる

キッパル　白地に青く　この地を
かたどったさわやかなキッパル
なみだがとめどなくあふれでる
おまえの姿がにじんで見える

このキッパルのもと

はやくはやく一つになり
そして　この八二年の恨を
おもいきりはらしたい
キッパルよ
わたしのキッパルよ

詩としての評価は別にして、一世の老婦人のこの詩を今思うとき、まだ「一つ」になっていない現実に愕然とします。


あれからもう三二年。

この「泣いた」老婦人も亡くなったことでしょう。

今の南北対決モードの情勢を思うと、あれは一体何だったんだろうかと亡くなられた一世の方々は思うことでしょう。

膨大な北の地下資源

「愛の不時着」で先ほど名前が出てきた、世界的投資家ビル・ロジャースは最近も週刊誌で「全財産を朝鮮半島に投資してもいい」と書いていました。

彼が注目しているのは、北の「地下資源、勤勉な国民性、高い教育水準」です。


北には膨大な地下資源があります。

最近読んだある本のなかでの紹介ですが、北の地下資源について、韓国統計庁が主要鉱物埋蔵量の潜在価値として、二〇一〇年に約六九八三兆ウォン（当時の日本円で六〇〇兆円相当）と見積もっており、韓国の二四倍の量だといいます。

戦略資源として近年注目されているレアアース、現在世界には一億二〇〇〇万トンが埋蔵されているようです。もっとも多いのが中国で四四〇〇万トンだそうです。

韓国鉱物資源公社は、二〇〇〇万～四八〇〇万トンほどが北朝鮮に埋蔵されていると見積もっています。もし最大の四八〇〇万トンであれば、中国を抜いて世界一位ということになり最小位でも第四位になります。ただこれよりはるかに大きい見積もりもあるそうです。

中国の証券時報網は二〇一三年、「北朝鮮で大規模なレアアース鉱床発見か。潜在価値は数兆ドル」との見出しで平安北道定州の鉱物埋蔵量が推定六〇億トン、そのうちレアアースだけで二億トンにのぼると記事に書きました。

とんでもない数字にビックリします。

また原油も埋蔵量が世界八位の規模と英国アミネックス精油会社は見積もっているそうです。南浦沖だけで四三〇億バレル（約六〇億トン）らしいです。そんなに原油が埋蔵されているなんていうことは驚きです。開発されれば日本だって遠くから輸入しなくても……とか思ってしまいます。

耐火煉瓦や建材など、いろいろな用途に使われるマグネサイトの埋蔵量は世界一位の六五億トン。

これは世界の埋蔵量の半分だといいます。

金は埋蔵量二〇〇〇万トン、世界一〇位。

銀鉱も三〇〇〇から五〇〇〇トンで、産出量はアジア五位だといいます。

黒鉛（グラファイト）世界三位。車や航空機、家電などのオイルシートなどに使われるらしいです。

タングステン六〇万トン、これは工作機械やコロナ放電線に使用されます。

モリブデン四位、自動車ステンレスの添加剤などに使用。

原子力発電に使われるウランは、一〇か所に数百万トンが埋蔵されているといいます。最大で四〇〇万トン、半分としても二〇〇万トンといわれます。現在世界で経済的に採掘可能なウラン資源は二〇〇万トンくらいですから大変な埋蔵量です。

鉄鉱石は三〇〜五〇億トンが埋蔵されているようです。（参考『もしも南北統一したら』辺真一）

そういえば北朝鮮の国歌は「朝は輝くこの江山、金銀の資源もびっしり、三千里美しい我が祖国　半万年長き歴史よ……」で資源のことをいきなりうたっています。「臨津江」の作詞者でしたね。

南の肥沃な農地。

ＢＴＳに代表されるエンタメ。

今でも世界トップテン内の経済力と軍事力。

南北の豊富な観光資源。

統一されれば観光客はミステリアスな半島に殺到するに違いありません。

軍事費の莫大な負担は分断状態から解かれて一挙に解消され、経済に大きくシフトできます。

ビル・ロジャースはオバマ政権時代の二〇一五年、「北朝鮮に全財産をつぎこみたい」（CNNインタビュー）と語り、「北朝鮮が開放されれば、朝鮮半島は世界の工場である中国やインドを押しのけ、世界でもっとも高い経済成長率を誇る国になる」といって何年も前から目を付けています。

東アジア黄金地帯が形成されれば、私たちが住むこの日本も世界もうらやむ三民族すべてが潤う理想のエリアになることでしょう。

韓国の前大統領文在寅（ムンジェイン）氏が行った白頭山（ペクトゥサン）に済州島（チェジュド）の人がバカンスに行き、ピョンヤンの人たちが釜山（プサン）の海雲台（ヘウンデ）海水浴場でパラソルの下であそぶのです。

その釜山からはオリエント急行なみに、元山（ウォンサン）経由、清津（チョンジン）経由、シベリア鉄道でパリやロンドンにも行くのです。

毎週ソウル対ピョンヤンのサッカー試合が何万人の観衆のもとに交互に行なわれます。

芸術団は頻繁に双方で公演します。

日本からは日帰りでもピョンヤン、ソウルに行き、あの天下の名勝といわれる金剛山（クムガンサン）もわずか二時間ぐらいのフライトで着いてしまいます。

こんな当然といえば当然のことができなくて、不時着をしなければ「会えない」のかと在日の後期高齢者はテレビの前で憤慨しています。

胸ふくらんだ南北共同声明

これまで統一という夢のためどれほど多くの努力をしてきたでしょうか。

一九七二年　お互いの全権委任者、統一のための南北共同声明（朴正煕―金日成　巻末資料1）

二〇〇〇年　直接会談、統一のための共同声明（金大中―金正日（キムジョンイル））（同2）

二〇〇七年　直接会談、統一のための共同声明（盧武鉉―金正日）（同3）

二〇一八年　直接会談、統一のための共同声明（文在寅―金正恩（キムジョンウン））（同4）

兄弟同士必死です。必至さは充分伝わってきます。思想、制度の差を乗り越え一緒になろう。名前は韓国も朝鮮も使わず「高麗」（ＫＯＲＥＡ）でもいいではないか、などなど。

ひしひしと伝わってきます。

どちらかが、どちらかを吸収して合併するのも難しいので、とりあえず連邦制にしようという案も出ます。

韓国の元大統領の文在寅氏は二〇一八年九月一九日、北朝鮮のピョンヤンで一五万の市民の前で次のような演説をしました。

ピョンヤン市民のみなさん。わが民族は優秀です。わが民族は強靭です。わが民族は平和を愛しています。そしてわが民族は一緒に生きなければなりません。

私たちは五〇〇〇年を共に生き七〇年を別に生きました。

私は今日、この場で過去七〇年の敵対を完全に清算し、再び一つになるための平和の大きな一歩を踏み出そうと提案します。金正恩委員長と私は八〇〇〇万同胞の手を固く握って新しい祖国を作成しています。私たちはともに新しい未来へ進みましょう。

感動的な演説です。

こんなにお互いラブコールをしているのになぜに統一が出来ないのでしょうか。

兄弟同士が合意しても外部勢力が邪魔をする……このパターンがずっと続いています。

民族同士の意志をも超越する得体の知れない巨大な力が働いているとしか思えません。

一九七二年の七・四南北共同声明は李厚洛(イフラク)（ＫＣＩＡ部長）、金英柱(キムヨンジュ)（金日成主席の弟）のサインでしたが実質、朴正熙(パクチョンヒ)大統領、金日成(キムイルソン)主席の合意でした。

このとき日本ではあれほど罵り合い、敵対していた民団、総連が仲良く大会を開き、満面の笑みで相対しました。本国さえ一つになれば、たった一日で簡単にすべてが解決されると実感しました。民団と総連の相克など砂の器のようなもので、本国が一つになればあっという間には波のかなたに行ってしまうことを証明しました。

この年八月七日に千駄ヶ谷体育館で開かれた、五〇〇〇人規模の南北共同声明を熱烈に支持する在日同胞青年の中央大会（朝鮮青年同盟中央と韓国青年同盟中央の共催）や八月一五日の朝鮮総連東京本部と民団東京本部共催の東京全同胞の大会、各地方別の大会がいっせいに開かれました。このような大会で民団、総連はこれまで頑なに一方は南、一方は北支持だったのが、あっさり仲良しになったのです。

昨日まで敵同士のように喧嘩腰だった人たちが、誰もが満面の笑みで抱き合い、うれし涙を流しました。

植民地、分断、戦争、対立のうっぷんが一挙に晴らされるようでした。

私もその現場に在日同胞の一人として参加しましたが、マンセー、統一や共同声明断固支持という叫び声、絶叫で会場は興奮のるつぼだったことを今も鮮明に記憶しています。

私だけでなくその場に参加した誰もが明日にでも統一されるものと胸が膨らみました。あんなに胸がふくらんだのは初めてのことでした。

在日の民族組織のトップが挨拶し、抱き合う姿は涙を誘いました。

あれからちょうど五〇年、半世紀が過ぎ去りました。

南北共同声明を支持する大会に参加した人は多くの人たちが亡くなり、青年たちはほとんどが後期高齢者となってしまいました。

「歳月がむごい、歳月がにくい」とはこのことでしょうか。

しかし今の現実の国際情勢を見ると「はっきり」「くっきり」するように、アメリカと日本は北主導の統一を絶対許さない。

中国とロシアは南主導の統一を絶対望まないのは自明です。

周辺四大国が統一を望まない状況が続いています。

私はここであえて在日や本国の前世代が夢みた統一国家を一幅の絵画のように描いてみたくなりました。前述したいろいろなものを再度整理したいと思います。

まず統一されれば発揮されるであろう全民族の爆発的なエネルギー、世界を驚嘆させるであろう目に見えない相乗効果はいうまでもありません。

統一朝鮮は、人口は約八〇〇〇万人で領土は約二二万平方キロ。先端科学技術が進んでいる国。地下資源は前述のように無尽蔵にある国。国民はバイタリティあふれ、かつ勤勉であり、進取性にあふれている。外国駐留軍はいなくて自主自立、等距離外交を堂々と推し進めている。ＧＤＰは世界屈指となり観光資源は北は白頭山（ペクトゥサン）から南の済州島漢拏山（ハルラサン）まで数多くある。

金剛山と雪岳山は従来どおりドッキングされ一大観光宝庫になる。未開発だった広大な三八度線のＤＭＺ（非武装地帯）地域やその周辺も大きく開発され、自然豊かで、ピョンヤンやソウルに劣らない世界屈指の近代都市が作られている。高句麗（コグリョ）や渤海、新羅や百済（ペクチェ）の考古学研究もすすみ民族独自の文化や芸術が自由にのびのびと発展している。国内線の飛行機は済州島から白頭山のふもとの三池淵（サムジヨン）などへもひっきりなしに飛び、鉄道はヨーロッパ大陸にオリエント急行なみに毎日運航されている。板門店には五〇階建てのビルが立ち並び、各種の国際会議が開かれる。

陸つなぎの中国やロシア、そして日本とも最高の外交関係でこの地域が世界経済を引っ張っており、文字通り黄金の地域になっている。外敵の脅威がなくなるので南北ともに明るく開放的で兵役義務もなくなる。

軍人たちは兵役を解かれて経済分野に進出し、分断時の巨額の軍事費は大きく経済にまわされる。

海路ものびのび使われ国際貿易はとてつもなく活発になる。

貧困は撲滅され福祉もとても進んでいる。

鴨緑江や豆満江は全面開放されて多くのアジアの人が陸路で観光に、そして貿易に励む。

スポーツや芸術は常時世界トップ級で世界経済やもろもろの国際問題も先頭にたって寄与することができる国になっている。


これに対しては北も南も在日もすべてのコリアンが異口同音にきっとそうなるはずだと確信を持っています。

朝鮮戦争の悲惨

一九四五年八月、日本の植民地支配からようやく解放されたと思ったら、そのわずか五年後の五〇年六月に朝鮮戦争が勃発。こんなバカな、こんなの嘘だろうと多くの朝鮮の若者は思ったことでしょう。こんな不条理がどこにあるのかと。

第二次世界大戦での日本の降伏が遅ければ日本も南北に分断されていたはずだと多くの識者が論じてますが、朝鮮の場合は植民地解放国です。

この戦争による死傷者の数は正確に把握されておらず、資料によってその数字は違ってはいるものの、死傷者は南北併せて六〇〇万人、死者だけでも三〇〇万人は下らないといわれています。

一九五〇年の人口が南が一九〇〇万人、北が一一〇〇万人、合計三〇〇〇万人とされていますので、この数字はどれほど大きいか、どれほど悲惨だったかを如実に物語っています。

他方敗戦国日本は朝鮮戦争特需で息を吹き返し戦後復興の勢いをつけて空前の高度成長のきっかけを作ります。さらにアメリカの要求に従い、日本はこの戦争にも介入していました。

「日本特別掃海隊は、占領軍の要請により、五〇年一〇月初旬から一二月中旬にかけ、四六隻の日本掃海艇、一隻の大型試航船、及び一二〇〇名の旧海軍軍人が元山、仁川、鎮南浦、群山の掃海に従事して、三二七キロの水道と六〇七㎢以上の泊地を掃海し、機雷二七個を処分したものの、掃海艇一隻が触雷・沈没し、死者一名、重軽傷者一八名を出したものである」(「戦史研究年報　第八号」(防衛省防衛研究所、二〇〇五、『朝鮮海域

に出撃した日本特別掃海隊――その光と影』鈴木英隆）

を報道しています。

二〇一九年二月三日放送のＮＨＫスペシャルでは「日本人二〇〇〇人軍事作戦従事」

日本人二〇〇〇人の参戦は、米軍を中心とする「国連軍」の仁川（インチョン）上陸作戦（一九五〇年九月一五日）において、戦車・兵士を運んだ戦車揚陸艦（ＬＳＴ）に従事したことや日本人が運航したＬＳＴは三〇隻、全体の六割で現地の地理を熟知している日本人船員を、マッカーサーＧＨＱ総司令官が日本商船管理局に命じて招集したことが取り上げられてました。

当時米軍の占領下にあった米軍キャンプが全国各地にあり兵員、物資の供給中継基地となりました。兵員はじめあらゆる物資が二四時間体制で戦場と化した朝鮮半島へ送り込まれました。戦後日本の経済復興は正に朝鮮戦争特需によるものでありました。特に兵器を中心とする機械工業への需要は大きく、日本のドル貿易赤字は一気に解消してしまいます。

三六年間にわたる日本の植民地からやっと解放された朝鮮は、何故に解放の歓喜も束の間、同じ民族同士で血を流し合わなければならなかったのでしょうか。

今、南にも北にも、立派な戦争記念館があります。

私は拉致被害者の蓮池薫氏や地村氏、曽我氏などに、なんといったらいいか、言葉さえ見つかりませんが、苦労は想像を超えたに違いありません。この「拉致」もまた、分断が引き起こした悲劇そのものといえます。

その蓮池氏が書いた『半島へ、ふたたび』（新潮社、二〇〇九）から戦争記念館の部分を一部引用させてもらいます。

まず北朝鮮のことです。

……ピョンヤン市の風光明媚な普通江（ポトンガン）のほとりには、僕が拉致される以前から、「祖国解放戦争勝利記念館」（略して戦勝記念館）なるものが建っていた。「祖国解放戦争」とは朝鮮戦争をさす言葉で、「朝鮮半島全体からアメリカを追い出し、南半分の領土とそこに住む人民を解放する」のがこの戦争の目的であることを意味している。……

三〇年前に観たこのピョンヤンの戦勝記念館と、ソウルの戦争記念館を比較することで、朝鮮戦争に対する南北双方の立場や見解の違いを知ることができるのではないか、それならば、それを読者のみなさんに伝えるのが、私の役目ではないか――ソウルに行ったら戦争記念館を観るというのが義務感からだというのは、こういう理由だった。僕はそう考えたのだ。

南の記念館やモニュメント群に対しては、

立派な言葉が並べられているが、戦争記念館が発信するメッセージとしては、少し違和感を覚えずにはいられなかった。いろいろな要素を含みすぎていて、一体何が言いたいのか明白に伝わってこないのだ。犠牲を強いる戦争に反対という平和主義思想なのか？　それなら安保意識の高揚を謳っているのは何故なのか。また平和統一は切望しているものの、軍事的手段の使用をはっきりと禁じてはいない。

その点、北の「祖国解放戦争勝利記念館」が発していたメッセージは、良し悪しは別にして明快そのものだった。「平和」とか「和合」とかという「ロマンチック」とも言える表現はどこにも見当たらない。ひたすら革命の先輩たち、戦士たちの功績を見習え。いつかは必ず交えなければならない対米戦争のために、訓練と準備に精を出せ。いざ有事の際には、祖国統一を成しとげるために命を賭して戦え、ということだった。

蓮池氏は南北の双方の記念館に、同じダレス国務長官（当時顧問）の三八度線視察の写真があることも指摘し、南北に違った二つの解釈があることを記していました。韓国側の朝鮮戦争室には「ダレスは韓半島では戦争は起きないだろうとの見解を述べている」

一方、北の戦勝記念館にも同一の写真があり、「アメリカは対北侵略へと南朝鮮を駆り立てた」と書いてあります。

日本などでは朝鮮戦争の起源について、「北が先に手を出した」からというのが一般的のようですが、東側諸国は正反対です。

日本は戦争開始の一か月後「レッドパージ」として、報道界の「赤色分子」を解雇します。朝日七二名、毎日四九名、読売三四名、日経一〇名、東京八名、日本放送協会一〇四名、時事一六名、共同三三名。（日本経済新聞、一九五〇年七月二九日付）

これはマッカーサーの「共産党員およびその同調者を排除せよ」の書簡にしたがってのことです。

プロパガンダの相違によって日本では「北が先」になりました。北側やその友好国は南が先を決してゆずっていません。

そもそも軍事境界線というものが布かれてから、小競り合いは絶えず起きていて戦争へと発展する危機は常に意識されていました。

どちらが先という問題のみに終始するのは朝鮮戦争の本質を見誤ることにもなりかけません。「戦争」を望んでいたのは誰なのか、「戦争」によって誰が利益を得たのかを冷静に見つめてみる必要があるのではないでしょうか。

蓮池氏の「一枚の写真、二つの解釈」はそれを物語っているのでしょうか。

朝鮮戦争はそれまで無敵だったアメリカが、自国が参戦する戦争で初めて勝利できなかった戦いとして世界史的にも大きな爪跡を残した戦争となりました。

これは全くの個人的なことですが、この祖国での戦争期間中に私の父が三九歳という若さで亡くなりました。

私の小学校入学式の日のことでした。父は式を終えて一緒に学校から帰ってくるやいなや倒れてしまい、そのまま寝たきりになって数か月後の夏に亡くなったのです。

父の急死は貧困家庭に追い打ちをかけ、母の肩にさらに重くのしかかりました。

この日のことは長男である私の幼い心にも何とも表現のしようのない「悲しみ」と

して刻印されました。その後これは長年にわたって、ときおり私を襲ってきましたし、ことあるごとに私に生の意義、人生の真理を探求させるようになったと思います。

忘れられないエピソード

「愛の不時着」にふたたび戻りましょう。

停電により列車が長時間停車する場面がありました。一〇時間以上の列車の停車もめずらしくないということで、車外に出てのんびりと時間をやり過ごす人びと目当てに物売りがどこからともなく湧いてくるようにやってきて、商魂たくましいというよりは、どこか牧歌的に描かれていました。

「ああ、あそこはそんなもんだ」というのは簡単ですが「全国要塞化」とか「全民武装化」とかのスローガンとインフラの不整備にはなにか訳がありそうな気がしてなりません。

地下一〇〇メートルのピョンヤン地下鉄に行かれた方はご存じだと思いますが、地下には立派な都市が存在しているのかと思ってしまうような造りとなっています。

駅構内もシャンデリアが輝き宮殿のようでしたが、一直線で降りていくエスカレーターには私もビックリしました。

その地下建造物はすべてがアメリカの核に対するシェルターだろうと想像されます。

要塞化というのは敵を誰一人入らせないシステムだろうと思いますし、全民武装化はいまだ戦争中だということでしょうか。本気で一戦を交える覚悟ができているようなのです。

セリとジョンヒョクがビアホールで楽しんでいるときも停電になりました。キャンドルをともして、こちらはロマンチックな場面です。

朝米会談時（二〇一八年六月）、トランプ大統領が金正恩委員長に見せた動画というのがあったそうです。人工衛星で写した夜の朝鮮半島は南があかあかと光り、北は真っ暗というものでした。

世界一の核超大国とそれに追従する大国たちに、たった二〇〇〇万そこそこの一国で立ち向かうのにはそれなりの覚悟と犠牲があるものと思われます。

当時大統領補佐官だったジョン・ボルトン氏によるとこの動画は「北朝鮮が核を放棄すれば、平壌に素晴らしい経済発展をもたらされるという約束を餌に金正恩を釣る目的でつくった動画だ」ということです（『ジョンボルトン回顧録』）。

李氏朝鮮時代からずっと資源が豊富な北のほうが裕福でした。史上最大の経済制裁と圧迫で経済がなりたたないようにしておきながら、その制裁をやっている国々が「それ見ろ、あそこはまた停電だ」なんて、あまりにもふざけた話だと思うのですが。

還暦になった年のこと、記念にと韓国旅行をしました。このとき先祖のふるさと訪問をしようとソウルからKTXに乗って東大邱まで行ったことがあります。「フランス製の新幹線」ということですが、日本のものよりすこし軽快というか、そんな感じがしました。乗りながら不思議な感覚にとらわれました。

同じような距離だとしたら北では何時間かかるかな、などと思ったものです。

三二時間かけた北での親戚訪問を思い出し、速く流れる車窓の風景をぼんやり見ていました。韓国の発展ぶりや北のインフラ不整備ぶりなど、生活水準の差などについてはすでにマスコミ報道などで知っていたので驚くことはありませんでした。

それよりも、勤勉な北国民がなぜこれほど苦労しているのかという理由を必死で考えました。

世界一の超大国と戦争状態（停戦ですが）にあることがすべての原因ということもあるでしょう。

ココムなどの制裁に始まって史上最大の経済制裁（実質的な経済封鎖）の現在に至るまで制裁無しで過ごした時期は一度もなかったはずです。

自主独立を捨てて、メンツをかなぐり捨てて敵にひれ伏して国民を食わせるか、それとも辛抱してもらって未来にかけるかということです。

北はアメリカだけでなく中国、ソ連とも距離をおいて自主自立を堅持しなくてはならない立場だったと思います。中ソ紛争のときがまさにそうでした。

フルフチョフなどいわゆる修正主義ともたたかうわけです。

明洞（ミョンドン）の焼き肉屋で食事をしていたときにも北の質素でささやかな食卓のことを思い出しました。

親が子どもにたらふくご飯を食べさせてあげられないほどつらいことはないでしょう。それを知らない人は誰もいないはずです。

「そこまでしてと」一部ではいいます。

ＫＴＸがいくら速くて便利でも、外国軍が大量に駐屯し軍事の統帥権まで握られた韓国は反植民地にしかすぎないはずだと思うとなにか空しい気がしてきました。

つぶやきなので思いをつづっていますが、歴史に「もし」ということがあったならば、あのときに統一されていれば統一国家は今の北とも南とも違う中立の自主独立民主国家として世界に燦然と輝く強大な国家になったはずです。

制裁によって孤立圧迫されているからこそ、国を守るため身構えて他国から見たら自由が無く息苦しくみえるだけで、大きく開放しても攻め込まないという安全保障、体制保証がされれば、北朝鮮は自由で活発な、それこそ真の「人民の自由と解放」の国になるでしょう。

外国軍が駐屯して自分の思うとおりに政治が出来ないところよりも、まずしくとも自己の判断ですべてを解決していく国こそがあの高句麗の後継国家らしい、と変なところで感心していました。するとこのＫＴＸよりもあの三一時間がとてもいじらしく、いとおしく感じたものです。

一度北で七面鳥の料理を食べたことがありました。もちろんクリスマスのお祝いではなかったのですが。

日本でもクリスマスなどは普通の鶏の肉が定番でしたから、北で七面鳥とはビックリしました。私が行ったときにたまたま食糧問題解決のため、農耕地拡大のキャンペーンをやっていたのですが、そこに訪問団のみんなが折角だからと農作業のボランティアに参加したところ、女性支配人が気を利かせて出してくれたのです。

このとき食べた七面鳥の味はすっかり忘れてしまいました。

これを読まれた方はクリスマスでもないのに、どうして殺すんやと思われたかもしれませんが。

私もあれ以前も以後も食べたことが無く、今のところ初めで最後の七面鳥でした。少しのボランティアで七面鳥です。味より思いやりがうれしかったですし、忘れられないエピソードになりました。

「愛の不時着」には小さなエピソードにもとても興味深いものがあります。

ハマグリをゴザにバァーっとばらまいたところに油のようなものをふりかけて焼くという場面がありました。実は私も何度か経験があります。あれは一種の名物料理なのかもしれません。

自動車からガソリンを少し抜いて、それでハマグリを焼くというアウトドア調理でした。最初は驚いて恐る恐る食べたのですが、ガソリンの匂いもすっかり消えてとてもおいしい焼きハマグリでした。ゴザの回りをみんなで囲んで、ふうふういいながら食べるのですが、最低でも一人で二〇個は食べます。多い人では五五個食べた人もいましたね。ハマグリの殻をおちょこ代わりにしてお酒を飲むのもおつなものでした。

なんとも豪快なハマグリ焼きです。

つぶやきはつづきます。

「愛の不時着」はコリア民族が同じ言語、同じ歴史、同じ文化、同じ感性を持っている民族であり、テ・ジョヨンや朱蒙（チュモン）（注5）や王建、世宗（セジョン）大王を同じ先祖とする、統一しなければならない兄弟だということをいみじくも見せてくれました。

……今回の旅行を通して、また、韓国と北朝鮮が、古朝鮮、三国時代から継承されてきた同じ伝統文化の根を持つ、一つの民族であることも改めて認識した。たとえ中国が朝鮮の古代国家、高句麗を中国の地方国家だったと主張したとしても、朝鮮民族の文化的独自性と共通性は決して覆されるものではないことを確信した。

　血は水より濃いというが、やはりそうだった。あれだけ国家の政治及び社会体制、思想理念が違うにもかかわらず、衣食住を始め、社会・生活の伝統的な部分はほとんど同じだった。もちろん、物質・技術的な発展において差はあるが、それは現代になってからの現象であり、民族の根とはなんら関係がない。僕に連想をもたらしたものは、キムチやかまど、チマチョゴリなど、まさに南北間の共通性だった……


　これは蓮池薫さんの著作『半島へふたたび』の一節ですが、再度引用させていただきました。

　新幹線で名古屋を通過するたびに、ここが三八度線のようになって日本が分断されてたらどうなっただろうかと考えることがあります。大阪がソウル、東京がピョンヤンのようだったらどうなっているだろうかと。

　そして巨人―阪神戦を楽しむことが出来る日本の人をとても羨ましく思うのです。どちらが解放国でどちらが敗戦国かと思いながら戦争や分断、対決の日々のあまりの長さに、そして「不時着」しなければ会えない南と北の人々を思うのです。日本の人びとにこの苦痛が想像できるでしょうか。

とはいえ数千年のながい歴史から見たら分断の歳月など目をパチクリする瞬間に過ぎません。

「不時着」をしなくても、堂々とソウルの女性が新幹線で一時間、ピョンヤンに行き、そこの男性と大同江（テドンガン）のほとりでデートしたり、白頭山のふもとの男性が、南の済州島の海水浴場で遊ぶ、そんな日はきっと来るにちがいありません。

これは歴史の必然であり真理でしょう。もうその兆候は表面上の情勢とはうらはらにあちこちに現れています。

わざわざスイスの湖で会わなくてもすみます。

統一こそオールコリアの歴史上最大の目標であり、民族の偉大な「大復活」劇となるにちがいありません。

この七〇数年の不幸が未来永劫変わらないものであるはずがないのです。

確信に満ちた「つぶやき」です。

潮流という言葉がありますが、海の満ち引きは自然の法則で人間の力ではどうすることもできません。岩波国語辞典によると、「潮の満干によっておこる海水の流れ。比ゆ的に、時勢の動き。時代の――に乗る」とあります。

潮流はすこしずつ、すこしずつ統一に向かっているに違いありません。「愛の不時着」を後世の人たちは、不思議そうに、なにか珍しい漫談でも聞くように、なつかしく見ることでしょう。こんな不自由な時代があったのだと。

第二章　一片のかけらと北の核

「砂時計」の時代背景

これまで観た韓国ドラマで、私には忘れがたいものがあります。「砂時計（モレシゲ）」（全二四話、一九九五）という作品です。

当時韓国で連続ドラマとしてテレビで放映されたとき、大変な話題となり、四五・三％の平均視聴率を記録、最高視聴率六〇％を超えたともいわれる伝説的なドラマです。放映期間中は人々が早く帰宅するために通りが閑散としてしまったので「帰宅時計」だともいわれるほどだったそうです。

ＤＶＤ化し一挙に観れる今の我々と違って、リアルタイムで一話ずつ見ていた当時の人びとはさぞかしヤキモキしたことでしょう。

「砂時計」は私にとって一度観だすと止まらない現象が起きた最初の韓国ドラマでした。

私はコロナの自粛期間中、このドラマを約二七年ぶりに観ました。あの独特の音楽と低音の歌を聴くだけで初めて観たときのことがよみがえってきます。音楽の効果は抜群でした。

最初、観るのは夜一二時までと決意していたものの、あと一話、あと一話と止められず……、結局徹夜してしまったものです。

今回もまた全二四話を一気に観てしまいました。

パク・テス、ユン・ヘリン、カン・ウソク、という三人の主人公の名前だけ聞いてもまるで親友のように思えてきます。

今回は初めて観た二七年前の頃のこととこのドラマの時代背景としてあった光州事件の一九八〇年頃の自分にも思いを馳せるという二重の追憶がからまって、観るほどに味が出てきました。

テスの父親は解放後、南でパルチザン闘士として戦い、最後は智異山で亡くなっています。母親はそのことを息子には秘めてきました。ところがテスは陸軍士官学校を受験したときに（当然合格できるものと思っていたのに）落とされてしまったことで、父の死の背後にあったものを知ることになります。それは同時に〈表〉の世界では彼の生きる場は存在しないことを意味していました。やがてテスは暴力の世界にはいります。

一方幼友達のウソクは検事として社会の腐敗と不正義に立ち向かうことで、やがてテスと対峙するようになります。

ヘリンは財閥の娘でありながら学生運動や労働運動に参加。テスとの間の友情と愛に葛藤します。

三人が三人ともそれぞれに存在感にあふれ、まるで実在している人物のようです。ヘリンに影のように付き添うボディガードのジェヒという若者もいい味を出していました。

ちなみにジェヒを演じたのはイ・ジョンジェでしたが、二〇二一年にネットフリックスで大きな話題となった韓国ドラマの「イカ・ゲーム」（全九話）に主演し、エミー賞の主演男優賞を受賞（二〇二二）しています。

「砂時計」には青春のすべてをささげ、上から落ちてくる砂が全部なくなるまで、つまり完全燃焼させたという意味があるそうです。

余談ですが、私は学校のすすめで強引に進学コースに入れられた高校時代、家庭の事情で二学年から普通科の就職コースに入りなおしたにもかかわらず、就職試験では国籍が原因ですべて断られ、かなり落ち込んだことがあります。この「砂時計」などを見るにつけ、大きな歴史の流れからしたら「ちっぽけ」な悩みだったと今から思えば考えられます。しかしその当時は真剣に悩みました。自分ではどうすることもできない日本社会の差別というものが悲しく悔しかったのです。と同時に、中学・高校、それぞれの校歌にある「真理の道」「真理の秘奥」を徹底して追及、解明せずにおれない私の性格が培われました。ある意味、本書はその「真理の追求」がなせる「つぶやき」なのかもしれません。

この「砂時計」のドラマの時代背景は光州事件(一九八〇)が大きく横たわっています。三人の恋愛ドラマというのが大筋でしょうが、このドラマの真の主人公は光州事件といえます。「光州事件」がお茶の間のテレビで大きく取り上げられたことが、当時の韓国の一般の人びとにとって大きな衝撃であり、それが視聴率の圧倒的な高さとなって現れたのです。

この光州事件を説明するにはその前にどうしてもある大事件を説明しなければなりません。

それは朴正熙大統領射殺事件です。

私はその事件が起きた一九七九年一〇月二六日、ちょうどクルーズ船の旅に出たところでした。出港した数時間後に事件が起こったので記憶に鮮明に残っています。

朴大統領はベトナム戦争派兵などによる特需景気や経済協力方式の日韓国交正常化のなかで「開発独裁」をやり、「漢江の奇跡」という発展をなしとげます。

その陰で軍事独裁と弾圧がいつもついて回り、四〇代の若い金大中氏に追い上げられます。

一九七一年大統領選挙は実質金大中氏が勝っていたといわれます。氏は大統領選挙後に交通事故を装った暗殺工作に遭い一命を取り留めましたが股関節に障害を負います。その後生命の危機を感じた金大中氏が日米両国に滞在しながら民主化運動に取り組んでいたところ、一九七三年八月八日、東京九段下のホテル・グランドパレスからＫＣＩＡによって拉致されます。ホテルの部屋にはわざと北朝鮮製のタバコを置く、という手の込んだというか稚拙な演出までやりました。

まだスターバックスなどがない時代、そのホテルの喫茶ルームは私のいきつけのティールームになっていたのでこれにもビックリしました。

その朴大統領は、信頼していたＫＣＩＡの部長金載圭（キムジェギュ）によって射殺されます。

射殺前には野党党首金泳三（キムヨンサン）氏の自宅軟禁に抗議する釜山や馬山（マサン）などを中心とした反独裁闘争の激化がありＫＣＩＡとの対立も噂されてました。

一二月一二日に新軍部がクーデター。全斗煥（チョンドゥファン）が実権をにぎります。

八〇年春に学生たちが大学に戻り「軍事政権退陣」を求めるデモが開始。全国に波及。戒厳令。金大中軟禁。新軍部のターゲットにされたのが光州（クァンジュ）市でした。

学生、市民デモが武力鎮圧されたのが八〇年五月一八日。

「砂時計」では、鎮圧する側に徴兵されたカン・ウソクが、鎮圧される側にパク・テスがいることになります。

日本の韓ドラ仲間はほとんど時代背景には興味が無いようで、ただ三人を追いかけますが、私としては「光州事件」を正面から、それも実際の映像も交えてですからこちらに大きな関心が行くことになります。

この事件は今の南北関係にも大きく影響があるといえます。

韓国では「三八六世代」という言葉があります。六〇年代生まれで、八〇年代に大学を通った世代で九〇年代は三〇歳後半の人が社会をリードしていたから、そう呼ぶらしいです。

文在寅前政権のときは多くの三八六世代が中枢にいました。光州事件のとき大学生です。今の野党にも多くいます。今の韓国社会では無視できない勢力です。

ドラマ「砂時計」を振り返ってみましたが、それにかこつけて時計の話をつぶやいてみます。

終末時計という時計です。終末時計とは正式には「世界終末時計」と呼びます。人類（地球）滅亡時刻を午前〇時〇分とみなしたときに、今はその何秒（何分）前なのか、をいろいろな情報をもとに算出し、一年に一度発表されています。要は「地球（人類）の運命の時間まであとどれくらい？」ということですね。

世界終末時計が設置されたのは一九四七年でしたが、二〇二〇年に過去最短――もっとも地球（人類）滅亡に近づいたと発表されました。米国の科学者らは地球滅亡までの時間を示す「終末時計」を公表、残り一〇〇秒となったのです。その後これはそのまま二〇二一、二二年も同じ一〇〇秒として続きます。ところが先日、さらに衝撃的なことにこのままいけば残り九〇秒だと公表されました。公表を始めた一九四七年以降で最も滅亡に近づいたということです。

ちなみに一九四七年と一九六〇年（米ソ国交回復）は残り七分でした。

多くのパネリストたちがパンデミック、気候変動、人工知能など地球を脅かす課題が山積しており、「核戦争が起これば、他のどんな問題もどうでもよくなってしまう」と指摘しています。

昨今の国際情勢はまさにその「核の脅威」そのものになってきているようです。

一番悪化したのが米国、中国、ロシアの軍拡競争が始まったことだそうです。

その次に米朝協議の停滞があげられ、インドパキスタンの軍事力向上、そしてウクライナ戦争だといいます。

二〇二三年の一月二五日に発表された終末時計は人類の終末まで残り九〇秒。ますます悪化しているのが現実のように思われます。

北の核とミサイル

次のつぶやきはその北朝鮮の核のことです。

北朝鮮というとやはり核やミサイルの事が気になります。

ウクライナもそうですが核拡散の危機からすればやはり北の核も無視できません。

二〇二二年一一月初めは、朝一番のテレビがすべてのチャンネルでＪアラートを速報していて、驚いた方も多かったことと思います。その後だいぶ経ってから、誤報という報道が出たものの、通過地点とされた県だけでなく日本国中に「北朝鮮のミサイル」に対して恐怖心が広く植え付けられたことは間違いありません。

そもそも「北のミサイル」は、日本を仮想敵としてはいません。「北のミサイル」に対して恐怖を覚えるという人であるなら、仮に日本周辺で、まさに日本を仮想敵とした大軍事演習が連日繰り返されることの恐怖については、ほんの少し想像力を働かせばすぐに理解されるのではないでしょうか。

ごく最近のことでも、結局一一月五日まで延長して終わった五年ぶりの「米韓合同大規模演習」である「ビジラント・ストーム」（油断なき嵐）が行なわれていましたが、なぜか日本ではこのことをちゃんと報じるニュースはほとんどありません。「北のミサイル」報道を声高に伝えるついでに、私から見ると「アリバイ的」とも思えるのですが、米韓軍事演習のことをサラッと伝えるに過ぎません。

北朝鮮のミサイルはあたかも突然、意味もなく、自らの力を誇示するためにやっているというような報道のしかたです。そしてそのことで日本の民衆は恐怖を覚えているのだと。

この演習には米陸海空海兵隊の将兵数千人と韓国空軍兵士、海兵隊の最新鋭ステルス多用途戦闘機〈F35ライトニングⅡ〉はじめ二四〇機が参加しました。オーストラリア空軍の〈KC30A〉多用途タンカー輸送機（MRTT）が空中給油活動の任務を帯びて参加しました。

さらにグァムと沖縄から戦略爆撃機〈B52〉ステルス戦略爆撃機〈B1B〉が急遽参加しました。

朝鮮有事に備え、極東米軍事力が集結する雲行きになってきたのです。

今回の訓練は北首脳部を直接攻撃することを想定したものとして北は危機感を強めました。この訓練で一三〇〇〜一四〇〇回の出撃を敢行しました。このことに北が動揺しないわけがありません。

特に、北は湾岸戦争時の「砂漠の嵐」作戦を彷彿させるものとして非常に敏感に反応しています。

なぜなら湾岸戦争勃発の前にも米軍は軍事演習を行ない、そのまま多国籍軍の一員として湾岸戦争に参戦し、最終的にはイラクのフセイン大統領を殺害にいたらしめた過去があるからです。

北のミサイル連発の裏にはこういう北の恐怖と反発があったといっても過言ではないでしょう。

「北が地域の安定を脅かす」とはだいぶ違うような気もしないでもありません。

二〇一八年南北のピョンヤン共同宣言は、ＩＣＢＭの発射実験や核実験の凍結と引き換えに、米韓の軍事演習や北に対する敵視政策の中止をアメリカに求めてきました。

その後も米の態度は変わらなかったので、北は二〇二一年一月の党大会で、戦術核の開発や核ミサイルの多弾道化など方針転換を明確にしました。

朝鮮半島というと、

「そもそも、いつまでも、なぜ米国が他人（朝鮮）の土地に大量の軍隊と軍事物資を駐屯搬入させているのか」

「そして韓国では国家の自主の要である、軍事統帥権をなぜ米軍が持っているのか」

「北は外国軍も外国の核の傘もないではないか」（このことはあまり多くの人は認識していないかもしれません）

というのが大方の疑問でしょうか。

そこでさかんにいわれるいわゆる「北の脅威」のことです。

今、米韓日は北が地域の緊張を高めていると非難しています。

はたしてそうでしょうか。と後期高齢者はつぶやきます。

グローバルノート――国際統計・国別統計専門サイトによれば、二〇二一年の世界の軍事費国別ランキングは、

一位がアメリカ　軍事費八〇〇六億米ドル
九位が日本　　　同　　五四一億米ドル
一〇位が韓国　　同　　五〇二億米ドル
六六位が北朝鮮　同　　　一六億米ドルとなっています。

アメリカは核ミサイル五五五〇発（二一年一月時点）、原子力潜水艦六九、空母

一と絶対的力を持っています。

アメリカ、韓国、日本VS北朝鮮という形で行くと、問題にならないぐらい米韓日が圧倒しています。

在韓米軍は二八五〇〇人　内陸軍一九七五五人
在日米軍　三六七〇八人　内海兵隊　一四九五一人
洋上の海軍一一四九五人　海兵隊二一二三人
北朝鮮　外国駐留軍　ゼロ
（米国防総省二〇一二）

北は中国やロシアの核の傘に入らず自主外交を貫いています。
二〇〇〇万そこそこの人口。決して豊かとはいえない生活。
数字だけ眺めると誰が誰に恐怖を感じるかが良く分かりそうな気もします。
北は史上最大の制裁を受けて経済もひどく落ち込んでいます。
貿易もほとんどないにひとしいでしょう。
飢餓がおそってきているという専門家もいます。
ＧＤＰでいえば韓国は北の五〇倍、貿易額は四〇〇倍だと胸を張っています。

立場を変えて「北」から見るとどうでしょう。史上最大規模の米韓軍事演習などは、北から見れば米軍の挑発行動そのものです。窮鼠猫を噛むといいますが、今も朝鮮戦争は停戦にしか過ぎず、実質は戦争状態の小さな国をここまで追い込むとは尋常でないような気もします。

韓国の前大統領文在寅氏の自伝には、彼がまだ生まれる前の一九五〇年一二月に父母が北の興南港からアメリカの貨物船に乗って命からがら、南の島、巨済島に行ったそうです。そのときほんの二、三週間のつもりで故郷を離れたということです。日本では二〇一五年に公開された、映画「国際市場で会いましょう」の主人公もそうでした。この映画は韓国歴代観客動員数第四位（二〇一九年時点）で、一四〇〇万人を突破しました。

興南は私も列車で何度か通過したことがあると記憶しています。昔、朝鮮が植民地の時代にはチッソの前身の日本窒素の肥料工場があったところで、一大コンビナートが建設されたところでした。

解放後、今度は朝鮮戦争中のアメリカの空爆によってすべて破壊されてしまいました。

その後復興が進んで、現在は化学工場の中心地になっています。

トルーマンの「原爆使用辞せず」

文在寅氏の家族の話に戻りましょう。なぜ家族は大慌てで北から南へと逃げて行ったのでしょうか。

このときのことは「興南撤収」といわれています。中国義勇軍の朝鮮戦争への参戦に慌てて北と中国の国境地帯まで進出した国連軍を避難させるための撤収作戦でした。

国連軍一〇万人、そこに一般人一〇万人も避難船に乗ったといわれます。多くの住民は文在寅氏の家族たちと同じく一時避難ぐらいに思ってたようです。

しかし何のために大慌てで「一時避難」しなければならないと多くの人たちが思ったのでしょう。

彼らを駆り立てた大きな恐怖は、この直前アメリカのトルーマン大統領が「原爆使用を辞せず」（一九五〇年一一月三〇日）と発言をしたことに端を発しています。

翌一二月一日の「ニューヨークタイムズ」は一面トップに、

「大統領、必要ならばコリアで原子爆弾を使用すると警告」の見出しで記事を掲載します。

戦争の最中にトルーマン大統領が核兵器の使用もありうると示唆したことは全世界を驚愕させました。

その数日後の一二月四日、統合参謀本部が国防長官に、「米国がすでに保有している原子爆弾を使用することが、米軍の惨事を防止する唯一の物質的手段になるという状況がコリアで起きる可能性がある」という備忘録を提出しました。

ただの大統領のその場のおどしではなかったわけです。

実際、その五年前トルーマンは広島、長崎に原爆投下した「実績」がありました。北国民の恐怖は半端ではなかったはずです。

当時アメリカは唯一の原爆保有国です。（ソ連はその前年九月にやっと初の核実験成功）

広島・長崎に原爆を投下したアメリカの大統領から「落とすぞ」「落とすぞ」と直々にいわれた相手国の国民や指導者はどう思うでしょうか。この時点ではアメリカは無敗で向かうところ敵なしでした。

アメリカとしても一一月二七日に一三万人の中国義勇軍が参戦、退路を断たれた二万五千人の米海兵隊第一師団が、想像を絶する寒さ、M一小銃も凍って使えない、防寒具着ても凍傷者続出のなか苦戦していました。

このような危機的な状況が劇薬である原爆を求めたのでしょう。

北指導部は最高指導部指揮所を日替わりで移動させ恐怖のなかで戦争を指揮したはずです。

そして忘れてならないのは、朝鮮戦争はまだ「終わっていない」ということです。

小さな国に大国が「核を使うぞ」と脅すのをどう見るか、ということですね。

日本は世界で唯一の被爆経験国ですから、それがどういうことを意味するか、どの国よりも理解できるはずです。

ここで当時、朝鮮人学校に通う小学六年生の作文から一部を引用したいと思います。

今、祖国ではなんの罪もない同胞がけもののような侵略軍の落とす爆弾にやられて死んでいる。やつらはそれだけでは足らずに、あのおそろしい原子爆弾を使おうとしているということを先生から聞いた。わたしは、わたしたちの同胞だけでなく、全世界の罪もない人々をたくさん殺し、これまで人類が残してきた様々な文化を失わせるこのおそろしい原子爆弾を使うことに命をかけても反対する。平和投票をしてみて、多くの人々がわたしと同じような気持ちをもっていることがよくわかった。(「51在日児童作文集」東京都立第四朝鮮人小学校六年ユン・ヨンスク)

これはあの当時、日本に住んでいる朝鮮人の幼い小学生にも原爆の恐怖をまざまざと見せてくれた貴重な資料です。

ここで触れられている「平和投票」とは日本におけるストックホルム・アピール(注6)への署名運動をさしていると思われます。この署名には全世界から五億の賛同を得て、結果的にアメリカは朝鮮戦争で核兵器を使用することを断念したといわれています。

あるエピソードを思い出します。私が北に訪問したとき、地元の青年と余興で相撲をとったことがありました。

このとき私が勝ったのですが、納得がいかないのか、相手の青年は「まだまだ」とかかってきます。

コリアの相撲は初めから右四つに組んでスタート。土俵というものはありません。なので押し出しとかはなく、相手が倒れるまでやります。

私は田舎の中学のときに相撲部でした。さらに得意は右四つです。

ちなみにしこ名は「美野山」でした。太ってはいませんが、腰は強いほうです。

初めから右四つ、私にとって、こんな楽な相撲はありません。

なんどやっても勝ったのですが、そのたびに「まだまだ」と挑戦されて、ついにはその青年の気迫に圧倒されて倒されてしまいました。負けず嫌いは普通ではありません。

とるにたらない些細なエピソードですが、彼だけのことではなく、皆さんそうでした。

国民も国家もそうです。

核で脅されて引き下がるような国ではないようです。

であれば休戦状態で終戦していない相手方の持っている同じ核を持ちたくなるのは当然の心理かもしれません。

国際的ルールとか、なんとかの決議違反というのも、公平性を欠いている事例がいくつもあります。

たいがいの人が知ってるイスラエルの核保有に対して、これまでなにか制裁らしきことがあったでしょうか。

かえってその国の先端軍事技術を導入すべく大国がこぞって貿易し応援している状況で、ダブルスタンダードそのものです。

さらにNPT（注7）非加盟の核保有国インドを認めることで北に核開発の口実を与えてしまったのです。インドへの原発輸出まで話が進んでいきます。

現在は「違反」であるはずの核保有国インドを東西陣営が「取り合い」になっている始末です。

繰り返しますが、北朝鮮は他の国と違い、アメリカとの戦争が停戦のままで終戦していません。

戦争状態の敵、世界最強の敵に対抗すべく、半世紀以上かけてやっと手に入れた核をそんなに簡単に手放すわけがありません。この問題を解決するには相互安全保障が必要になりますが、大きな国の戦争終結への本気度にかかっているものと思われます。相手の立場に立ったらよくわかることだとは思うのですが、どうなんでしょうか。いまだ戦争中（停戦）の一方にだけ核を捨てろといわれてもドスだけで対抗するわけにいきませんから、アメリカにあなたさんも核をこの周辺から撤去してくださいよ、とせまることになります。

なぜここまでこじれたのか考えますと、どうも米日韓の錯覚にあるように思えます。東欧の解体（一九八九）、ソ連の崩壊（一九九一）、金日成主席の逝去（一九九四）、大量の餓死者を出したといわれる苦難の行軍（一九九四～九九）……。こういうことに対する答えが「まもなく北は自壊し崩壊するだろう」でした。「カリスマ的な指導者を失った北は一年以内に崩壊する」という認識の下、ドイツ式統一を狙った米や南の政権が交渉より圧迫のほうに舵をとります。この西側の「希望的観測」がその後の北をよりかたくなにさせ、かえって核開発を促進させることになります。

二代目金正日総書記の逝去（二〇一一）で二〇代の三代目金正恩氏が登場すると、「もう終わった」とばかり、韓国の朴槿恵大統領も「統一大バクチ」を吹聴したものでした。

北は「自滅する」（二〇一三年三月一五日）

「体制が大きく揺らいでいる」（八月二一日）

「金正恩の精神状態は統制不能である」（九月九日）

と従来の大統領の誰も口にしなかった過激発言を連発したり、脱北を促すような挑戦的な言動を繰り返しました。

呪術的予言者だといわれた崔順実の、

「北朝鮮は二年以内に崩壊する」をそのまま信じたとは思えないにしろ、あまりにも情勢分析力が疑われる発言です。

長期政権の日本もこのような認識だったのかはわかりませんが、さかんに制裁、圧迫、孤立のほうに目が行き、対話が抜けていきます。

「徹底して北朝鮮を完全に破壊する」といった二〇一七年秋の国連総会でのトランプ大統領の発言を受けて、日本の安倍首相は総会で、

「今必要なのは対話でなく圧力である」

「すべての選択肢はテーブルの上にあるという米国の立場を一貫して支持する」

と述べました。

首相演説の翌日、河野太郎外相は、コロンビア大学で講演し、北朝鮮と国交をもつ各国に断交するように呼び掛けました。断交は宣戦布告につながる行為ともいえます。

こういった一連のことがここまでこじれた原因かもしれません。

そのうえあんな貧乏な北朝鮮なんて「できっこない」と高をくくっていたふしもあります。

北のことを見くびっているとしか思えません。

北朝鮮の公式スローガンは「朝鮮はやるといったらやる」です。このスローガンはあちこちに掲げられています。

アメリカは長い間、北朝鮮の核能力に対して直接的にはそんな脅威にならないだろうと思ってきました。能力を持つ前に北の体制を崩壊させてしまおうとしてきたようです。

北に対する意図的なプロパガンダ、国際的バッシングはそういう意味があったというわけでしょうか。

しかし今や北の能力は米国を脅かすレベルに達したか、ほどなく達することが確実視されるまでになりました。

自尊心の強い国は小国でもあなどってはいけません。


クリントン大統領時（一九九三〜二〇〇一）の末期に、北の国防委員会趙明禄第一副委員長のワシントン訪問や「米朝共同声明」、そのあとオルブライト国務長官をピョンヤンに招き米朝関係改善を約束し、首脳の相互訪問までささやかれていました。ところがわずか、その数週間後、政権が変わるやいなや、舌の根がかわく間もなく、ジョージ・W・ブッシュ新大統領は一般教書演説で北をイラク、イランと共に「悪の枢軸」と罵倒しました（二〇〇二年一月二九日）。


ブッシュ氏は僅差で民主党のアル・ゴア氏を破り大統領となりましたが、このときゴア氏が大統領になっていたら米朝関係はどうなっていたかわかりません。

日本で報道される北の政策に対するイメージというのは、「常にコロコロ変わっていて、信頼できない」というのがあります。でも一度、北の立場から見てみてはどうでしょうか。

交渉相手の代表者が代わるたびに全く違う方針を出してきたら、当然そのことに対応せざるをえなくなります。日本の報道にはそのことがほとんど抜けています。コロコロ変わって信用できないのは北のほうだといわんばかりの報道となっています。

むしろ「こうもコロコロ変わってはやりきれまへんわ」と思っているのは北のほうです。

軍産複合体がバックに控えているので大統領といえども難しいことが多いのは分かりますが、北としては「どないなっとるんや」と思ってもしかたがありません。

北は瀬戸際外交だといいますが、そういうふうに追いやった側面を見ないと正常な判断が出来なくなると思います。

核保有国となることが望みではなく、北はあくまで「体制保証」が目的だったのです。

ずいぶん前に読んだ本ですが、朝鮮戦争の停戦協議時に一時アメリカ側の通訳をしていた鄭敬謨（チョンギョンモ）氏の回想録（『歴史の不寝番（ねずのばん）』藤原書店）にこのような記述がありましたので引用させてもらいます。

> この合意文書（引用者注：朝米基本合意書）の第二条には、「政治と経済関係の完全な正常化のために、双方は努力する」と明記されているのです。しかしながら、アメリカは始めから第二条の約定を履行する意思はなかったのでした。金主席も世を去り、どうせ北朝鮮は内部崩壊するだろうと見て、不渡り手形をつか

ませただけだったのでした。建設すると言った一〇〇万キロワットの原子力発電所二基も、するふりをしただけで中断し、建設期間中、供給すると約束した年間五〇万トンの重油も結局、口約束だけだったのですから、騙したのはアメリカであって、騙されたのは北朝鮮だったのでした。

約束をしておきながら平気でそれを覆す北朝鮮は信用できない相手だとアメリカが一言いえば、全世界の言論がオウム返しのように騒ぎ立てるのはいつものことですが、事実はそうではないのです。苟も米朝関係に関する限り、平気な顔でウソをつき、相手をだまし続けてきたのはアメリカであって、その逆ではありませんでした。

鄭敬謨氏は解放時、わが民族に解放の喜びを抱かせてくれたアメリカに祝福を与えたまえと祈りをささげ、医学の勉強のためアメリカに渡っていったほどの人ですから、この言葉には深い意味がこもっているように思われます。

北のいい分はとてもは明快です。

「（体制保証を）認めろ、さすれば核を持たない。認めなければ持つ」です。七〇年間一貫しています。

その間アメリカや韓国は何人大統領が変わったでしょうか。二国で両手の指を全部出しても足りないぐらいです。その度にコロコロ対北政策が変わりました。

一日に何度も太陽が照ったり北風が吹いたりします。

マントを脱ごうとするとぴゅうぴゅうと北風が吹きます。

揺らいで、ぶれて、また変わる。今も全くそうです。

これでは北が怒るのも無理はありません。

なぜイスラエルやインドにしつこく迫らなくて、北には対してはまるでいじめの対象を見つけたかのように、ぐじぐじ、いじいじするのか理解不能になります。

アメリカは日本での「成功体験」が何かの錯覚をもたらしたのではないかと多くの人が語っています。

成功体験とはいわゆる、第二次世界大戦中、鬼畜米英と言って神風特攻隊まで動員した日本が、原爆二発で「負けました」といい、坂口安吾ではないですが、その後すばやくコロッと変わって、チョコレートだチューインガムに狂喜し、特攻隊を最後尾でひそかに組織した人たちは政治家になり、「愛するアメリカ様」になったのですからと。

アメリカにとってはこんなにオイシイことはありません。

おまけにこれで軍産複合体が儲けられるという味もしめたわけですから。

原爆を落として従わせる――、最強国がこれを使ったら何でもできる、という錯覚が、その後の朝鮮、ベトナム、イラクやアフガニスタンまでひきずってきたのではないかと思います。

アメリカはこれまで何度も原爆投下の脅しをかけてきました。先ほども触れましたが朝鮮戦争中、ベトナム戦争中、これらは当時世界中から大きな非難をあびました。日本国内やアメリカでも署名、デモが繰り広げられています。そのたびに脅しは引っ込められましたが、最大の核保有国であることは間違いのない事実です。

ガツンとやっておいて、俺についてこいはもう通用しないかもしれません。

日本での成功体験が、逆にアメリカの判断を狂わしたとすれば、これほど皮肉なことはありません。

北に対する外交が大きくくずれているのをどうしても感じざるをえないのです。

もう一つの「ゲルニカ」

あの有名な画家ピカソには「ゲルニカ」（注8）に匹敵する大作があります。「朝鮮の虐殺」という作品です。

北の黄海南道信川郡で、国連軍の占領下三万五三八三人（住民の四分の一）が虐殺されたことが契機になって描かれたもので、縦一一〇センチ×横二一〇センチの大作らしいです。

裸の女子どもの一団に命令を受けて銃火を浴びせるロボットまがいの一隊を描き出しており、今はパリの国立ピカソ美術館に所蔵されているといいます。

アメリカで公開された「ゲルニカ」ですが、それより理解しやすい「朝鮮の虐殺」はアメリカ国内では公開されていません。

最新のエピソードをお伝えしましょう。本書の執筆中、高校時代の日本の親友がパリなどに一か月の旅行に行くと聞き、「時間があればピカソ美術館でこの絵を見てきてみたら」と軽く電話でいってみました。（ちなみに私もそこに行ったことがありませんで

した）

仕事などではなく気軽な旅だったらしいのですが、私の提案をあたかも任務のように感じたらしく、帰国一週間前に現地の事情に詳しい人と行くことにしていたそうです。

一二月初旬に帰ってきた彼からどうしても会いたいと連絡がありました。

会って話をきいてみるとまず美術館に行く直前、彼がパリでコロナに罹患したということ。一週間の隔離のため、帰国を五日間延期して帰国直前に一人でそこに行ったというのです。（頼みにしていた現地の人は結局都合がつかなかったとのこと）

宿舎から歩いてピカソ美術館になんとかたどり着いた彼は、さっそく「朝鮮の虐殺」を見ようとしたそうですが、美術館員から「その絵は海外搬出中で二年後に来なさい」といわれ、がっかりしました。

落ち込んだ彼は「だったら絵葉書みたいなものはありますか」と聞いたところ、それも売り切れで無いということでガクッときたようです。

しつこさが取り柄の彼はたどたどしい片言の英語で「MASSACRE IN KOREA」（朝鮮の虐殺）というメモを見せながらパンフレットでも何でもいいからないかとさらに食い下がったそうです。

すると近くにいた女性職員がカタログのようなファイルを持ってきて「ここに挟んである、これですか」というので確認したところ、「朝鮮の虐殺」の絵葉書が一枚だけ館の保存用としてあったのでした。

彼は知ってるだけの英単語を駆使して懸命に「それは売ってもらうわけにいきませんか」とさらに食い下がったところ、いつの間にか集まってきた女性職員三人がひどく落ち込んでいるアジア人の後期高齢者の姿に同情したのか、「いいですよ、一・七ユーロで特別に売ってあげます」というではありませんか。

それを聞いた彼がバンザイでもしそうな喜びで一挙に顔の表情が変わったのを見て彼女らもともに喜んでくれたというのです。

その一枚の貴重な絵葉書を手に取り、私はこの親友の行動に深い感謝の気持ちでいっぱいになりました。彼はモンサンミッシェルや南仏プロヴァンスやサグラダファミリアと共に今回の旅はこの〈任務〉遂行が一番の思い出だというのです。

北朝鮮にある信川（シンチョン）の博物館にも行ったことがある私は、残酷な現場（なんの罪もない幼い子どもたちにガソリンをかけて焼き殺し、我が子の安否を気遣う母親たちをも同じ手段で焼き殺します）と、ロボットが女性や子どもに機関銃を向けた恐ろしいこのピカソの絵ハガキを見ながら戦争の残虐さなどを改めて思うとともに、貸し出し中で二年も他国の美術館などにまわっているというのをなぜか「かえって、それもとてもいいことだ」と思いました。

この「朝鮮の虐殺」が広く世界各国、多くの人の目に触れる機会ができるということでもありますので。

信川は人口一四万といわれていました。その四分の一の一般住民が虐殺されています。そんな恐ろしい戦争はもうこりごりでしょうが、戦争は終戦でなく停戦、相手は世界最強核保有国アメリカ。大統領が次々に変わって外交政策もコロコロ変わってもこの事実は全く変わりません。

このアメリカに対峙し、交渉していくためには何が必要だと思われますか。

『朝鮮戦争の正体――なぜ戦争協力の全貌は隠されたのか』（祥伝社）を書かれた孫崎享氏は、この本の終わりの部分で、

「この本を書くにあたって、いろいろ勉強しましたが、結論は、朝鮮民族は『世界で最も悲しい国民』なのではないかということです」といっていました。

そして、

「朝鮮民族を統一する道は、朝鮮民族自身が選択することです。外部勢力の介入によって分断されたのですから、外部勢力抜きで統一を模索するのが一番です」と指摘しています。

孫崎氏は東大を経て外務省に入省。駐ウズベキスタン大使、国際情報局長、駐イラン大使を歴任した後に、二〇〇二～〇九年まで防衛大学教授を務められました。この本には孫崎氏なりの見解が示されていて興味深いものがあります。ただ外交・防衛問題の専門家でもある彼が「外部勢力抜きで統一を模索するのが一番」としたことには共感を覚えました。

また、それと同時に「朝鮮民族は世界で最も悲しい国民」なのではないかというフレーズに「そう認識する人もいるのだ」という妙な感慨を受けました。

たしかに元々朝鮮民族は数千年の長い間、単一民族として暮らしてきましたが日本の植民地になったことによって国を奪われ、さらには解放と共に思ってもみなかった世界のイデオロギーによる冷戦の真っ只中に放り込まれてしまいます。きょうだい同士いがみ合ってるようになったわけです。

おまけにあのような小さな半島で推定三〇〇万の死者、六〇〇万の負傷者、一〇〇〇万の離散家族を生んだ悲惨な戦争までやり、現在に至るまでの長い間、世界の冷戦の標本場のようになっているのです。

今の若い人のなかには韓国と北朝鮮はまったく別の国だとなんの違和感もなく思っている人もいます。

日本が南北に分断されたと仮定してみてください。いがみ合い数十年で制度や思想が変わったところで同じ歴史、同じ文化、同じ言語を持っている人びとが永遠に二つになることなどないと思われるはずです。お隣の国朝鮮は植民地がきっかけであったにもかかわらず、民族の不幸の元を作ったともいえなくもない植民地宗主国であった日本は現在も、政治的にも一方に肩入れすることで結果的に南北分断を推し進め、統一を妨害している政策を進めていることにつながります。

孫崎氏の「世界で最も悲しい国民」という言葉の後ろには、この一世紀にわたる朝鮮民族のうまく表現するのも難しい、言うに言えない、やるせない、「こんな朝鮮に誰がした」という悲哀と不幸が凝縮されているようで「どきっとした」というのが率直なつぶやきです。

氏はこの著作のおわりに、

「朝鮮戦争は、多くの人命を奪い、朝鮮半島を荒廃の地にしましたが、三八度線を国境線とすることには、何の変化もありません。しかし米国と日本には明白な流れが定着しました。

米国では軍需産業が根を下ろし、戦争を戦い続ける国になりました。今日までその体制は延々と続きます。

日本では、自由主義と民主主義を抑制する『逆コース』が定着しました。そして、しばしば米国から『軍事的に貢献しろ』という要請がきて、国会を軽視した対応策を取ります」と断じてもいます。

朝鮮戦争以後も四年後、米は休戦協定に違反して、核弾道弾などを韓国の米軍基地に持ち込みます。また、冷戦終了後、一九九一年、核兵器が韓国から撤収されても、米軍は北朝鮮を標的とした長距離ミサイル演習を続行して、北ではまさにアメリカによる核の脅威がなくなりませんでした。

長い期間、核の脅威と向き合ってきた北朝鮮が機会があれば抑止力を開発しようと考えるのは当然であろうと多くの識者も話しています。

北朝鮮が停戦の相手国、米国の核攻撃の恐怖のなかで何十年もあったということ、これこそが北が核開発を行なう最大の理由なのでしょう。

今の緊張の原因は七二年前のあの日一九五〇年一一月三〇日「トルーマンの北朝鮮への原爆投下予告」にあった、そしてその精神は今も続いている、それを解決するのが大事になります。

米国にとっても最大の敵ソ連が無くなったのに軍事予算を維持するには北やイラン、イラクを仮想敵国にしておかなければならない都合もあったでしょう。

これらの国は米国の軍事力から比べると圧倒的に弱く、彼らから先に米国に攻撃することはまったくないはずですから。

日本の立場からしても本来は隣近所仲良くするのが一番です。

そういう、もろもろのためには地球規模の改革が必要なのかも知れません。

あのブラックホールの発見者、宇宙物理学者、車いすの天才科学者のホーキング博士は、二〇数年前に来日したときの講演で地球ぐらいに発達した星はこの全宇宙で二〇〇万個もあるといっていました。

それらの星の人が宇宙船に乗ってこの地球にたどり着けないのは、地球ぐらい文明が発達すると、その星の生物を支えている環境が阻害され、宇宙時間で「瞬時に」消滅するといいます。

日本のある識者が「瞬時とはいったいどれくらいなのですか」と質問したところ、ホーキング博士は「宇宙時間で瞬時というのは地球では約一〇〇年です」と即座に答えました。

この真偽は別にしても、今は新冷戦だといっていがみ合い、東西対立をあおる時期ではないのではないか。

地球温暖化やこれからも襲ってくるコロナのような疫病、アフリカ対策、資源や穀物の問題など解決すべき問題が山ほどあるはずです。

このままではホーキング博士のいうように地球が大変です。

「かけら」と「棘」

南北の経済格差のことでいえば、一九六〇年代は北のほうが南より経済発展していました。そのときの北の歌では「貧しい南の住民を救援しよう」というのもあります。

その後の米・日の韓国への莫大な経済、軍事援助は東西対決の「見本」への投資でもあったわけです。日韓国交もその一環でしょう。歴史問題を後回しにして東側に対抗すべく急いでやったおかげで、現在も慰安婦、強制労働問題など未解決の問題が積み残しとなったままです。

朝鮮戦争以後も続く北に対する経済制裁、そして、その間、中国の文化大革命、ソ連の崩壊、東欧社会主義諸国の崩壊など、韓国の同盟国の援助とは反対に、北には何から何まで負の連鎖がつづきます。

ブッシュ政権のときに悪の枢軸とまで名指しされたあと、北への重油供給中断、北はＮＰＴ（核拡散防止条約）脱退、米ネオコンなどに空爆を主張する人が出てきたとき北は、

「報復には報復を、全面戦争には全面戦争でいつでも受けて立つ」

といい放ちました。

さらに二〇一七年、トランプ大統領が世界で見たこともない「炎と怒り」に直面するだろうと武力行使を示唆するような発言をしたときは、「こちらのテーブルにもボタンがある」と反発しました。

そして二〇二二年一一月にも米韓の合同演習に対して「核には核を、正面対決には正面対決で」と激しく対応し、ＩＣＢＭ火星17号の発射実験を成功させました。有言実行の強対強を貫いています。

過去にもプエブロ号事件（注9）やＥＣ―121機撃墜事件（注10）など、軍事超大国に向かってこのように対する国は世界広しといっても、そうないように思えます。

何が問題で北がそうなっているのかを、論理的に解剖すれば答えは簡単に出るはずなのに、……不思議です。

Ｊアラートのことで今もニュースでやっていましたが、北は連日Ｋアラートが鳴るなかで暮らしています。

考古学では一片の「かけら」から千年前の謎を解明するといいます。渤海研究にいそしんでいる私ですが、渤海遣使が泊まったであろう、北陸の松原客館の「かけら」をさがそうと努力しています。

「かけら」さえわかれば、解明することも多いのが考古学です。

一九五〇年の一一月三〇日のトルーマン大統領による原爆投下の脅しという「かけら」「棘」が北をここまでにしてしまった原因であれば、その棘さえ取り除くことができればすべてが円満に解決するはずにみえます。

それ以外の解決方法は見当たりそうにありません。

二〇二〇年秋に日本語版で発売された『ジョンボルトン回顧録――トランプ大統領との四五三日』(朝日新聞出版)を何度も読みましたが、第一一章「気の進まないハノイ会談、そして板門店での戯れ」の最後の一節が意味深長でした。

そこでジョン・ボルトン氏はこう書いています。

「北朝鮮は完全な能力を備えた核兵器保有国への道を歩み続ける。米国は三〇年近く、四代の政権にわたって、世界で最も深刻な核拡散の脅威の阻止に失敗することになる」と。

また米戦略国際問題研究所の上級顧問であるエドワード・ルトワック氏は、

「北朝鮮の軍事関連の技術力は侮れない。根本的な意味で、日本やアメリカ以上の底力を持っている。その軍事関連の技術者を侮ってはならない。彼らは他国の技術者の五倍以上の生産性を有している」

と指摘しています。

「……北朝鮮は、人工衛星を打ち上げ、中距離弾道ミサイルも発射した。さらに弾道ミサイルを潜水艦からも発射しているのだ。ミサイルに搭載可能な核弾道の爆発実験も成功させたとみられている」（『戦争にチャンスを与えよ』エドワード・ルトワック）

過去の北朝鮮政策の失敗の対価としてこの現実が生まれてしまったのです。圧迫、圧迫、制裁、制裁の連続では、自尊心大国が草を食べてでも自主核国防を成し遂げることは自明でしょうと思ってしまいます。

第二次世界大戦の戦勝国ばかりに核保有が認められている今の世界秩序が限界にきていることも確かだという識者もいるにはいます。

「かけら」を解決し、ロシア、中国が南を承認したように、米、日が北と国交を結び、相互友好をはかっておけば、こう（北核保有）はならなかっただろうに、とつくづく思い、つぶやくのです。

私はリタイア後、一度ハワイでゴルフをしたことがあります。二人で行ったため、組み合わせで他の人が一人か二人、われわれの組に入ってきますが、初日はアメリカ陸軍元中佐、二日目はカルフォルニアの小学校の校長先生でした。

彼らはともに陽気で楽しい人でした。片言の英語と身振り手振りと目で会話するのですが、グッドショットはもちろん、OB、OBと私のミスショットに大笑いします。政治さえ良ければ誰とでも仲良くなれるのにと思ったものでした。

ここで、ニュヨーク・フィルハーモニー管弦楽団がピョンヤンで公演（注11）した時の韓国の新聞記事のうち二〇〇八年二月二七日の東亜日報の記事をご紹介します。

米国を代表する交響楽団であるニューヨーク・フィルは、二六日の午後六時から一時間三〇分の間、平壌の東平壌大劇場で、音楽監督ロリン・マゼール氏の指揮で、北朝鮮の観客の前で演奏を繰り広げた。同日の公演は、韓国と北朝鮮でテレビやラジオを通じて生中継され、米国と中国にも同時中継された。

ニューヨーク・フィルは、舞台の左右に星条旗と北朝鮮の人民共和国旗が掲揚されたなか、公演のメインプログラムで、ワーグナーのオペラ『ローエングリン』中の第三幕前奏曲、ドボルザークの交響曲第九番『新世界より』、ガーシュウィンの『パリのアメリカ人』の三曲を演奏した。観客は、情熱のこもった喝采で演奏に応えた。

メインプログラムに先立ってニューヨーク・フィルは、米国の国歌と北朝鮮の国歌を続けて演奏した。北朝鮮政権の統治下の平壌で、米国の国歌が演奏されたのは今回が初めて。

本公演に続きアンコールで、ニューヨーク・フィルは、伝統民謡『アリラン』を北朝鮮の木管演奏者六人と共演し、注目を集めた。

「かけら」さえなくなれば、北のトップがアメリカの大統領の牧場で仲良く乗馬を楽しんで、夜はハドソン川で花火を楽しむことなどすぐに実現することでしょう。

今、終末時計によると、人類に残された時間は九〇秒だということですが、人々の英知によって終末時計自体を無くすようにしなければなりません。後期高齢者のつぶやきは、大きな「つぶやき」になってきました。つぶやきが「さけび」になりそうです。

認め合い軍縮交渉に進むのでしょうか。「かけら」のつけは大きくなりそうな予感がします。

第三章　在日の謎、いくつか

つぶやきはいよいよ日本でのことになります。

在日コリアンとは

日本政府の統計ポータルサイトによると、国籍・地域別在留資格（在留目的）別在留外国人は総数が二七六万六三五人です（二〇二二年七月）。うち韓国籍が四〇万九八五五人、朝鮮籍が二万六三一二人です。合計四三六一六七人です。

植民地末期に二〇〇万まで増大した在日朝鮮人の数は、解放直後には多くが帰国し、六〇万人前後が日本に残りました。朝鮮戦争、長引く分断、そして不安定な政治状況というのが朝鮮人の帰国を思いとどまらせた大きな理由でした。在日同胞六〇万前後という数はよく耳にしたように思います。でも現在はだいぶその数も減ってきたように思います。

植民地時代に日本に渡ってこられた一世はもうほとんどの方たちが亡くなり、その子の世代の私のような二世も高齢化が進んでいます。少子化、帰化される方などさまざまな要因があるかと思います。現在約四三万とされる「在日」にはニューカマーと呼ばれる方も含まれていますので、私のような事情のいわゆるオールドカマーに含まれる「特別永住者」の実数はさらに少ない――三〇万人を下回る――とのこと。

この本の冒頭で、私は後期高齢者の在日コリアン二世と書きました。

七五歳以上であれば日本では後期高齢者に該当するということになっています。

それでは〈在日コリアン〉とはどういう存在なのか。

在日コリアンという言葉をつぶやくたびに、今一つもどかしい思いにかられてしまいます。どこかあいまいなものにつきまとわれる感覚です。

不思議なことに海外――日本の外に出たときには、このあいまいさからすっきりと解放されていることに気づかされてきました。

民族としての朝鮮人、ＫＯＲＥＡＮだと名乗り、相手もそのままの私を受け取ってもらえるからなのだと思います。

ところが生まれ育ったところの日本に帰ってくるとそうはいきません。

私は日常、日本人とのつきあいのなかでは通称名を名乗り、そして多少付き合うようになれば在日コリアンだとあかし、さらに深く付き合うようになれば在日韓国人だということもあれば、ときには在日朝鮮人だということもあります。

この日本において、私は何者かということを示す明確な言葉をまだ持てずにいるような気がしてなりません。

いったいなぜこのようなことが起こるのでしょうか。

朝鮮籍だと「北朝鮮籍」だと勘違いされる方もおられます。そもそも日本と朝鮮民主主義人民共和国は国交を結んでいませんし、「朝鮮」は「国籍」ではなく、「記号」としての意味しか付与されていません。

植民地時代、朝鮮人は「日本臣民」として「日本人」にされていました。一九四五年の解放後(終戦後)しばらくの間は在日朝鮮人はすべて「日本人」だったのです。

一九五一年のサンフランシスコ講和条約で日本の主権が回復された後、「平和条約の発効に伴う朝鮮人、台湾人等の国籍及び戸籍処理について」(五二年四月一九日法務府民事局長通達）で朝鮮人は日本国籍から一方的に離脱させられました。当時六〇万といわれた朝鮮人すべてが「朝鮮」籍になったわけです。

このとき、当事者である朝鮮人に対して国籍をどうするか一切問われることはありませんでした。

歴史に「もし」はないとよくいわれますが、「もし」このとき朝鮮人に国籍の選択を問われたらどうだったろうかと想像してみます。一九五二年といえば朝鮮戦争の真っただなか。日本国籍を選択する人もいたと思います。それでも圧倒的大多数は「朝鮮民主主義人民共和国」国籍を選択したのではないでしょうか。植民地からの解放闘争を闘った指導者と人民たちが立ち上げた国家を選び、そこで生きたいと願うのは当然のことだと思うからです。日本には朝鮮人に対する差別が厳然として存在していました。

だからこそ、ＧＨＱは、そして日本政府は朝鮮人に国籍の選択という当然の権利をないがしろにして、単に日本国籍から離脱した「朝鮮」という〝あいまいな〟状況へ放り出したのだと思います。

日本に在住せざるをえなくなった朝鮮人のあいまいな状況というものをつくり出した原因――「一片のかけら」を私はここに見るのです。

その後、日韓条約（一九六五年六月二二日、通称、日韓基本条約。日本は韓国を朝鮮半島の唯一の合法政府と認める）により日本は韓国とだけ国交を結び、韓国籍に切り替える人が出てきました。

朝鮮籍から韓国籍に切り替える人のなかには「故郷に行きたい」「海外旅行に行きたいがハワイやアメリカ本土は朝鮮籍だとパスポートが下りづらい」などの理由で便宜上変える人も多いそうです。

日本で生活する様々な状況において、朝鮮籍のまま（つまり韓国籍を取得する以前の状況ということです、繰り返しますが「朝鮮国籍」ではありません）でいることには不自由極まりません。

常に「なぜ朝鮮籍のままなのか」「韓国籍を取らないのか」「帰化しないのか」と問われたり、就職の際には門前払いされたり。それでも「朝鮮」にこだわるのは何なのでしょうか。

「朝鮮」は分断することのできない「民族」「祖国」への思いなのだと、一世たちは思ってきたのではないか、そんなふうに私は思っています。

そして「一片のかけら」のことを思います。日本が朝鮮半島に対する植民地支配への謝罪、戦後補償をまともに行なってきたのであれば、「朝鮮」へのこだわりはなかったはずです。無視し、差別迫害してきたからこそ、在日をそこへ追いやっているとはいえないでしょうか。

北出身者はわずか〇・五％

さらに多くの日本の方にはどうしても気になる謎があるようです。謎に行く前に在日コリアンのほとんどが南、いわゆる韓国の出身だと知らないということです。

二〇〇五年の本籍地別構成（Wikipediaによる）を見ますと以下のようになっています。

慶尚道　五三・九四％
済州島　一六・六一％
京畿道　一四・〇五％
全羅道　九・〇一％
忠清道　三・七六％
江原道　〇・七六％

……以上はすべて南（韓国）の地域です。

北朝鮮地域　〇・五％
不詳　〇・二五％
その他　一・二二％

驚くことに北朝鮮地域がわずか〇・五％、三〇〇一人に過ぎないということです。にもかかわらず日本内の在日民族組織では北を支持する総連系が強く、民族学校も幼稚園から大学校まで整然としたシステムを持っています。一時は一六一校の学校がありました。

小平にある朝鮮大学校に行かれた外国の人は皆一様に驚きます。その立派さ、不思議さにびっくりするらしいです。

このような教育システムは世界のどこにもないと思います。

学校のほかにも商工会や金融機関、保険会社や貿易会社、社会科学協会や医学者協会、芸術団や体育団体などないものがないほど数十の団体が加盟しています。

一時は数千人に達していた専任の働き手たちや多くの学校教員たちはそれこそ最低生活費のみ支給されるという状況のなかで働いていました。

これ自体も大きな謎ではあります。

何十年も働き亡くなられた一世二世の方も非常に多いです。

実業家になれば成功していたであろう人も、多くがこの専任活動家や教員になり生涯をささげてきました。

そのなかには詩人で教育者であった許南麒(ホナムギ)氏のような方もいます。「朝鮮冬物語」「火縄銃のうた」などを書かれました。

……
ジュヌア　おまえは行くがいい
ジュヌア　おまえは戦うがいい　おまえの父が行ったみち
おまえの祖父が行ったみちへ　勇敢に旅立つがいい……

感動的な叙事詩でした。

彼は民族学校の校長など長く教鞭をとり、朝鮮語で民族教育を実施するために精力的に働いた人でした。弾圧にも屈せず、権利を守り抜こうとがんばり、教科書の編纂と執筆にも先頭に立って活躍しました。

以下は「これがおれたちの学校だ」（一九四八）からの一節です。

子どもたちよ　これが　おれたちの学校だ、　校舎はたとえ貧弱で、
おはなしにもならず、大きなすべり台一つ、　ぶらんこ一つそなえられなくて
君たちの遊び場もない　見すぼらしい学校であるけれど、ああ子どもたちよ、
これが　ただ一つ　祖国を離れた遠い異郷で生まれ　異郷で育った君たちを
ふたたび祖国のふところにかえす　おれたちの学校だ……

日本政府の学校閉鎖令（一九四九年一〇月一九日）によって学校が閉鎖されたとき、

……
さようなら　さようなら
おれの小さな仲間たちよ
さようなら　さようなら
元気でたたかってくれ

彼らの切なる思いは「祖国統一」でした。

許南麒氏とは偶然、池袋のデパート内にある中華料理店でお会いしたことがありました。柔和でやさしい笑顔が素敵な紳士です。思わず、どこからあのエネルギーが出るのか聞いてしまいました。

一言「われわれには祖国がある」という答えが返ってきました。

彼が一九六四年に書いたシナリオで後に映画化された物語のタイトルと同じことをいうのです。

この許南麒氏だけでなく各分野で、貧困のなか無報酬で働いた人が数えきれないほどおり多くが鬼籍に入られました。

こんなに犠牲的に働くことは広い世のなかでもあまりないように思えます。

それではなぜ北を支持した人が多く結集したのでしょうか。許南麒氏も故郷は慶尚道で南なのですが、「北が祖国」といっていました。

在日の人たちはそれを一九四五年の解放直後から「まあ当然だよね」という感じでした。

しかし日本の人にこのことを言うと本当にびっくりします。

「うそでしょう。故郷も先祖の墓も今の日韓交流の発展度合いも、なにを見ても、すべての同胞が南、韓国のほうについていっても当然なのになぜ?」ときょとんとします。

私の高校の同窓生の何人かに聞いてみても一番驚くのがこのことでした。てっきり半々ぐらいだと思っていたらしいです。ある同窓生は「田舎でも総連の組織は強く、北出身の人たちばかりやと思っていたんやけど、たった〇・五%しかいないなんて、びっくりやわ」とかいいます。

確かに謎に違いありません。

「希望の星」

どこまでも私の推測ですが、次のようなことが関連してくると考えました。

朝鮮民族は習性上、または外勢からの侵略が絶えなかった歴史上の特質もあるのでしょうが「英雄待望論」「英雄期待論」があります。韓ドラでも有名な高句麗の朱蒙(チュモン)や、先のテ・ジョヨン、高麗の王建や李朝の世宗王、などなど英雄が国を引っ張るというのが当然のように考え、その英雄に国民はついていく節があります。韓ドラも「広開土王」とか「李舜臣」とか数えきれないほど「英雄伝」が多いです。それは「檀君神話」（注12）など国の成り立ちからしてそうなのでしょう。

そんななかで一冊の本が浮かび上がります。

一九五八年に発行された岩波新書の『朝鮮』という本です。

著者は金達寿（キムダルス）という有名な作家でこの本は何十刷も増刷されているのでロング・セラー本のようでした。

この本の約半分を占める歴史の部分は朱蒙や王建、テ・ジョヨン、李舜臣やウルチムンドクなどの英雄のことも詳しく書いてあります。

近代のこと、たとえば閔妃（ミンビ）のことをドラマにした「明成皇后（ミョンソンファンフ）」の時代の背景も詳しく書いてあります。そして植民地に転落した過程も書いてあります。

注目したのは、長い一〇〇ページの歴史を書いた最後の一ページです。

こう書いてあります。

……鎌田沢一郎の『朝鮮新語』にある次の文章を見ればわかる。「七年程前（これがかかれたのは一九五〇年であるから四三年ということになる。筆者）私は南鮮（ママ）のある小学校の六年生と、中学二年生を集めて講演したあとで『諸君は現在の日本人で（朝鮮人を含めて）だれが一番偉いと思っているか、正直に無記名投票してくれ、決して恐れたり、恐がったりするな』とすっかり安心を与えて、無記名投票をしてみたら、驚くべし、その六七％に金日成と書いてあった」

いまや金日成将軍とそのパルチザンとは、全朝鮮人の希望の星となったということをこれは物語るものであるが、たたかいはまた、それだけではなかった……

こうして一九四五年八月、第二次世界大戦での日本帝国主義の敗退とともに朝鮮は解放されたが、しかし民族にとっての苦難と困難とはそれでおわったわけではなかった。あらたな苦難の道がまたはじまったのである。

この同じ時期、南の大統領になったアメリカ帰りの李承晩（イスンマン）大統領は六〇年四月一九日人民革命で国民から糾弾され、逃げるようにハワイに亡命し、「漢江の奇跡」を成し遂げたという朴正熙大統領は軍事独裁政権で民主化勢力弾圧、学生運動弾圧、言論弾圧、さらに植民地時代日本軍将校だったということで在日にはあまり人気がなく結局部下に銃殺されました。

有力な指導者だった金九（キムグ）や呂運亨（ヨウニョン）も韓国で右翼（黒幕は別）に暗殺されてしまいました。

一九三〇年代から一九六〇年代の、一番苦しい民族的災難のときに存在した南北三人の指導者のなかでは、やはりパルチザンの英雄――植民地から解放すべく手に武器を取り、「白頭山の虎」と日本の関東軍から恐れられた金日成将軍を、まさに民族の「希望の星」として多くの在日朝鮮人が支持したというのが、この大きな謎の答えと考えるしか他に理由が無いようなのです。

もともとの出身が南か北かというのは関係ないということです。

植民地があまりにも過酷だったため、英雄願望が強くなり、その要求に合ったということでしょうか。それ以外ではこの謎を解くのがむずかしくなります。

エピソードですが、私が五〇度のお酒で酔っ払ったあの親戚の家の近くにポチョンボというところがあります。

「普天堡」と漢字で書きますがＨ市からすぐ近くなので行ってみました。

主に中国東北地方で抗日戦を戦っていたパルチザンが初めて朝鮮国内に入って襲撃したのがこのポチョンボにある駐在所などでした。

道路は舗装されてない所が多くガタガタ道でほこりがたって往生しました。運転手は慣れたもので水たまりなどをうまくよけて走ります。それでなくとも腰に痛みを抱えていた私は、お尻がとても痛くなった記憶がありま
す。

行ってみるとそこは町というより村のような小さなところで、駐在所などに銃撃のあとがそのまま残されていました。襲撃は一九三七年六月四日です。郵便局の焼け跡におなじみの赤い郵便ポストが残っています。

このことは日本の新聞にも「共産匪賊」という形で金日成将軍が直接指揮したと報じられました。このとき金日成将軍は「朝鮮は死んでなく生きている」「解放は近い」と演説し、広く朝鮮国内に伝播され多くの人々を勇気づけたといいます。

ピョンヤンのあの銅像のある朝鮮革命博物館にもその新聞が展示されていました。

また前述の『朝鮮』という本のなかには、

「……則武三雄の『鴨緑江』には一九三一年から三六年六月にいたるまでのこのパルチザンとの交戦記録がでており、それによると、『戦闘回数二万三九二八回、日本軍・警の死傷四三二一人、日本軍・警の捕虜一万八一一四人、パルチザンに捕獲された兵器三一七九点』ということである。これはほかならぬ日本・関東軍自身の提供した資料によったものであろうから、そのたたかいがどんなものであったかということにつ

いて想像することはそんなにむつかしいことではない」と書いていています

その H 市からまた三〇時間ほどかけて首都ピョンヤンに帰ってきた私はその二日後に市郊外の観光地「凱旋門」（注13）を訪ねました。凱旋門はパリのものよりほんの少しだけ大きく造ってあると聞きました。パリのものはシャンゼリゼ通りを行くとありますが、凱旋門を中心に放射状に何本もの道があります。

ピョンヤンの凱旋門は公設運動場（現キムイルソン競技場）の前にありました。

ここは一九四五年一〇月一四日に祖国解放祝賀ピョンヤン歓迎市民大会が開かれた場所です。

そのときのことを知ることも決して無意味ではないと思いますので、すこし新聞記事などを調べてみました。

当時の新聞「平壌民報」は「平壌の歴史が四〇〇〇年、過去このような日があったであろうか。四〇万群衆の歓呼は天を揺るがす」というタイトルで報じ、続けて「特に大会を意味深くし、会場を感動させたのは朝鮮の偉大な愛国者、ピョンヤンが生んだ英雄金日成将軍がここに参加し民衆にうれしくも熱烈な挨拶と激励をしたことだ。……朝鮮同胞が一番崇慕し待ち望んだ英雄金日成将軍のその雄姿を一目見ようと場内は熱狂的歓呼のため、息も詰まりそうで皆はあまりの感動で声もなく泣き出した」と報じました。

四〇年になんなんとする亡国の歴史、そして爆発するような解放の喜び、会場は今か今かとパルチザンの伝説的英雄の登壇を待つ。そこに登場した背広にストライプのネクタイをした三三歳の紅顔の美青年があの伝説的英雄の金日成将軍だったのです。

ソウルにいた愛国者たちもなぜ知らせてくれなかったと歯ぎしりしたという集会でした。その場で演説した将軍の言葉を少しだけひろってみました。

過去三六年のあいだ朝鮮民族を抑圧し搾取した悪辣な日本帝国主義は敗退し、長いあいだ三千里祖国の大地をおおっていた暗雲は消えうせ、朝鮮民族が待ちこがれていた解放の日はついにやってきました。

日本帝国主義の野蛮を植民地支配のもとで苦しんできた三千万朝鮮民族は、植民地奴隷の鉄鎖を断ち切って自由と解放を取り戻し、暗黒の生活からぬけだし、明るい新生活の道を歩みはじめました。こんにち、我が三千里国土は、さん然たる朝日を浴びたように希望にあふれ、輝いています。

我々は解放された朝鮮に、民主的な自主独立国家を建設しなければなりません。

民主的な自主独立国家を建設するのは、朝鮮の具体的な現実と朝鮮人民の意思に全面的に合致することであります。このような国家を建設すれば、我が国を富強で文化的な国家につくりあげ、我が民族の繁栄を達成することができます。

民主的な自主独立国家を建設しなければ、祖国の発展を達成することができないばかりでなく、植民地奴隷の運命を免れることもできません。


朝鮮人民は過去の生活体験を通じて、植民地奴隷の境遇がいかに悲惨なものであるかを肝に銘じています。

朝鮮人民は絶対に二度と植民地奴隷の道を歩むことはできず、亡国の民の惨めな生活を繰り返すことはできません。

かつて日本帝国主義者は、朝鮮人民を無知と蒙昧のなかに陥れ、牛馬のようにこきつかうために植民地的奴隷教育政策を実施し、我が国の言葉と文字、我が民族の貴重な文化遺産をことごとく踏みにじり、民族意識を抹殺しようと狂奔しました。

我々は、日本帝国主義の反動的な植民地的奴隷教育制度の残滓を一掃し、人民的な教育制度を確立して、勤労人民の子弟に学びの大道を開くべきであり、民族文化を復活させ、民主的基礎のうえで発展させるために努力しなければなりません。

朝鮮民族が、新しい民主朝鮮を建設するために力を合わせるときはきました。各階層の人民は、すべて愛国的熱意を発揮して新しい朝鮮の建設に奮起しなければなりません。力のある人は力で、知識のある人は知識で、金のある人は金で、建国事業に積極的に貢献し、真に祖国を愛し、民族を愛し、民主を愛する全民族がかたく団結して民主主義自主独立国家を建設していかなければなりません。

朝鮮民族が力と知恵を合わせれば不可能なことはなく、占領できない要塞などありません。朝鮮人民は、さん然たる民族文化をもつ聡明な人民であります。日本帝国主義の植民地支配から解放された朝鮮人民はこんにち、新しい民主朝鮮を建設しようとする熱情にみちあふれており、一日も早く完全な自主独立が達成されることを熱望しています。それゆえ、我々は十分、自分自身の力によって富強な民主主義自主独立国家を建設することができます。

全朝鮮人民は、輝かしい未来への大きな抱負と勝利にたいする確信をもって、新しい民主朝鮮を建設するために、ともに力を合わせて勇敢にたたかっていきましょう。

朝鮮独立万歳！
朝鮮人民の統一団結万歳！

『金日成著作集』一巻

解放直後、なんとも力強く希望に満ち溢れた言葉でしょう。その場にいた全ての人を勇気づけたにちがいありません。

凱旋門には「金日成将軍の歌」が前面に彫り込んでありました。この歌は解放後一九四六年に発表され在日の社会でも広く歌われてきました。何万人や何千人の集会の初めにこの歌を歌ったのです。

一九九四年、ピョンヤンを訪問したカーター元アメリカ大統領が金日成主席のことを「大変聡明で鋭利な人物」「アレキサンダーとナポレオンとレーニンを足したような人だ」と語ったというのを何かの記事で読んだ記憶があります。

民族の長い歴史で初めて経験した亡国、それに武器をとって戦った伝説的な英雄として登場した将軍に在日の多くが惹かれていった。そしてそれは故郷が南であろうと関係なく北を支持することにつながっていったのです。

上海臨時政府主席であり頑固な反共・民族主義者だった金九氏や、左派の民族主義者として広く人望を得ていた呂運亨氏も金日成将軍とお会いしたり、噂を聞いたりしながら統一戦線をつくることに同意していきます。若々しい将軍に民族の未来をかけてみようとする気持ちはわからないでもありません。二人の指導者とも李承晩の手先によって暗殺されましたが政治、歴史のからくりに愕然とします。呂氏は二人の娘さんを金日成将軍に託しピョンヤンに送りました。その次女の呂鷰九氏は北の最高人民会議副議長にもなりました。

解放後、朝鮮事情にうとく、あまり知識もなかった米軍政庁が進駐後軍政を行なうために朝鮮総督府の行政機構や親日派人士を多く利用します。やがて彼らが李承晩政権成立とともに、処罰されるのではなく逆に新たな権力機構の中心に地位を獲得します。これに反対する勢力はアカということで徹底的に弾圧されます。

そのことを海外にいる（赤狩り対象外の）在日はよく理解していたということも関係しているでしょう。

政権成立の正統性は韓国の大統領が変わるたびに問題になっています。

ドイツ人作家の書いた『第二の罪――ドイツ人であることの重荷』（ラルフ・ジョルダーノ）そのものとして物議の種になっていきます。この本は私の高校時代の同期生で某国立大学の名誉教授が自身の書棚から取り出してくれて紹介されたものです。その人は長くドイツに滞在していました。

ドイツではドイツ人であることが第一の罪（ユダヤ人大量虐殺など）を犯したことに加え、そのヒトラーに追随していた人たちが戦後のドイツを率いたことによる「第二の罪」を事細かく問うているのです。問題提起の新鮮さが話題にもなりました。

日本の場合は第二の罪はおろか第一の罪さえうやむやになっているとある人たちはいいます。韓国の場合も解放前総督府などにいた、または日本軍に所属していた人が建国後の国づくりをやったということで今でも与野党対立の火種となっています。

植民地解放のため戦った人に正当性があり、植民者に追随した人が政権を運営したことに対する不満と反発は時が経っても消えないようです。

こういうこともこの謎に関係しているかもしれません。

多種多様な人々

在日や元在日と言っても多種多様です。

呼び方も在日コリアン、在日韓国人、在日朝鮮人、新日本人、元コリアンなど沢山あります。

孫正義さんやパチンコ・マルハンの韓昌祐さんのように日本国籍を取得し活躍している人も多くいます。

力道山もそうでした。

四〇〇勝三六五完投、四四九〇奪三振の金田正一さんのような投手もいます。

また三〇〇〇本安打の張本勲さんのような「アッパレ」な方もいます。

日本、コリア関係なく共通のほこりです。

金田氏はかなり以前に帰化していましたが、アイデンティティをはかるともいわれる民族的チェサ（祭祀）を一度も欠かさなかったといいます。

張本氏は右手に大やけど、広島の原爆被爆、苦労人ですがチマチョゴリ姿のオモニを背に負ぶって韓国に錦を飾った姿は忘れられません。安打数にちなみ「三〇〇〇」と記したサインをいただいたことがあります。

私は氏の父上が太刀魚の骨が食道に刺さって亡くなったという話を『人生の贈りもの』（朝日新聞）で知り、そのあとは好物のこの魚の骨には特に気を付けています。

アルゼンチンが優勝した、カタールでのサッカーのワールドカップは大いに盛り上がりましたが、一二年前の南アフリカ大会には北朝鮮代表として、厳しい選考枠のなか代表の座を勝ち取った鄭大世（チョンデセ）選手（当時川崎フロンターレ）や安英学（アンヨンハク）選手（当時大宮アルディージャ）の活躍もありました。

彼らは民族学校でサッカーを学び、卒業した人として話題をさらいました。私もその時、スポーツバーで観戦したのですがブラジル、ポルトガルなどとの予選は大変盛り上がったことを今でも生々しく思い出されます。

日本代表にもなったことのある李忠成（リチュンソン）選手も民族学校でサッカーをやっていた選手です。

実業家であった彼のお祖父さんも立派な愛国者でありました。

近年ではラグビーの大阪朝鮮高校や野球の京都国際高校などの活躍もありました。

プロ野球界やプロゴルフ界を含め多分野で多くの在日、元在日選手が活躍しています。

ゴルフではジャパンアマチャンピオンを四〇歳代で獲得し、ジャパンシニア、ジャパングランドシニアのアマ三冠を日本ではじめて達成した金本勇さんのような素晴らしい方もおられます。

彼はアジア競技大会の韓国優勝にも大きく貢献し個人戦では17番ホールで痛恨のO

Bをたたき一四歳のフィリピン選手とのプレーオフで惜しくも個人優勝を逃しました。

韓国ゴルフ界強豪への道を開いた一人でしょう。

彼は韓国に「ケンチャナヨ」精神（大丈夫といってマナーを無視すること）をゴルフ界から払しょくするのにも貢献しました。

彼とは何度か一緒にプレーをさせていただきましたが、背の高い好紳士でマナーとルールだけは守れといつも口酸っぱくいっていました。

また『海峡を渡るバイオリン』の主人公であるバイオリン製作者陳昌鉉（チンチャンヒョン）氏やバイオリン奏者の丁讃宇（ジョンチャヌ）氏、または多くのオペラ歌手、研究家、コメンテーターなど多種多彩です。

一度サントリーホールで行なわれた陳昌鉉さん製作のみのバイオリン演奏会に参加したことがありますがストラディバリウスを追いかけたというだけあって素晴らしいものでした。そのときのチゴイネルワイゼンは今でも耳に残っています。

バイオリンのニスの色素に使う染料や樹脂を求めて南米アマゾンのジャングルをインディオたちとさまよい手に入れたという話などは感動的でした。

物理学者、零戦の設計者の糸川英夫氏の講演で「いずれ人類はロケットを作って月に行けるようになってもストラディバリウスの技術を再現するのは不可能」という言葉が彼を発奮させたといいます。このことは劇画にもなりドキュメンタリ番組にも紹介されました。

彼は世界的なフィラデルフィアでの三楽器製作者コンクールで、六部門中五部門受賞を成し遂げました。

九州地方を始めとする沈寿官や李参平の子孫たちの有田焼、薩摩焼、上野焼などの陶磁器はいまも健在です。

『陶磁器への道』（李義則著、新幹社選書）などの本を読みますと、いわゆる豊臣秀吉の文禄・慶長の役に連れてこられた朝鮮陶工たちの活躍もよく分かります。

三七グループもある朝鮮陶工一覧表があるこの本は興味のある人にはぜひお薦めしたい一作です。

少し前に亡くなられた「月はどっちにでている」の映画監督崔洋一さんや作家の梁石日（ヤンソギル）さんや金石範（キムソッポン）さんなど多くおり、なかには李恢成（リフェソン）さん、李良枝（リヤンジ）さん、柳美里（リュミリ）さん、玄月さんなど、芥川賞をとった人もいます。

また映画俳優や舞台俳優のなかにも多くいます。姜在彦（カンジェウォン）さん、姜徳相（カンドクサン）さんなどの歴史研究家もたくさんいます。

画家にも多くの人がいます。私が懇意にしていた呉炳学(オビョンハク)画伯はゴッホとセザンヌを目指しただけあって絵は民族的情緒とあいまって胸に訴えるものがありいつ見ても飽きがきません。九七歳まで現役で活躍し数年前に亡くなられましたが、『白磁の画家』(山川修平著、三一書房)という本にその生涯が描かれています。

大学教授や姜尚中(カンサンジュン)さんのような著名な知識人も多くいます。

姜尚中さんの著作のなかで二〇二〇年五月に発売された『朝鮮半島と日本の未来』(集英社新書)は「私にとっての勝負作」というだけあって読みごたえがありました。祖国統一への熱い思いと、それを見届けられないのではないかとのある種の諦念と折り合いをつけながらの作業だったといいますが、希望を捨てていないということはよくわかります。

少しの異論はありますが、「揺れる米国、ぶれない北朝鮮」や「古代史にまで遡れば、日本海に張り出した半島は、大陸の最先端文化の恵みを列島に滴らせる『乳房』のような存在であった」などのフレーズはとても印象に残っており、一読をすすめたくなります。

その他にも有名無名のコリアンたちが日本のなかで数多く活躍しているはずです。科学や物理の分野でも多いはずです。

実業界では上場会社を立ち上げた方も多くいます。何人かの知人もいますが皆さんバイタリティあふれる人たちです。

焼肉業をここまで大きくされ、煙もうもうの庶民居酒屋風から高級料理店クラスの事業へと高めるのに貢献された叙々苑などもそうです。創業したばかりのころ、店のインテリアの色、バックミュージックには何が食欲をそそうかなどオーナーから聞いた覚えがあります。

社会に貢献している在日の実業家は、北海道から沖縄までかぞえあげればきりがないほどです。

私も何度かお会いしたことがある、焼肉のタレ「ジャン」でおなじみのモランボンの創業者で在日の商工連合会会長などをつとめた全演植、鎮植兄弟などをはじめまだ多くの人がおられます。

有名無名と書きましたが、無名の人の数万、数十万のいろいろな人生の挑戦もあったことはいうまでもありません。が、ここで紹介すると、その時点で無名ではなくなりますので身近な人を紹介したいと思います。

夫死去のため三三歳で寡婦になった母は、その直後亡くなった兄の子ども三人も引き取り、極貧のなか、六歳を頭とする幼い子どもたち六人を女手ひとつ、強靭な精神力で育てあげました。

男仕事の土方やリヤカーを引いてのぼろ買い（今でいう廃品回収）など顔を真っ黒にして必死の形相で働いてきたのを長男の私はいつも近くで見てきました。

私や弟たちも小学高学年から朝は新聞配達、夕方は牛乳配達、日曜は土方のバイトなどで母を支えてきました。コリアの女性のほとんどがそうであるように、つらい歴史がそうさせるのかは分かりませんが、「めげない、へこたれない、耐える、希望を捨てない、そして明るい」を毎日目撃してきた私は、コリア民族の、踏みにじられても食いちぎられても、死にはしない、枯れもしない、たんぽぽのような強さの一端を母に垣間見たような気がします。　これは他の多くの人も同じように思われます。

恰幅よく商売でもすれば絶対成功するだろうと思われた親戚の人は、朝連時期の二〇歳代から八〇歳まで専任の活動家としてその一生を閉じました。スポーツや実業で名を成した人ではないにしろ、多くのこういう名もない人たちがいたことは記憶してもいいと思われます。

ここまでつぶやいてきたことは、どこまでも在日の謎の一つであり、すべてではもちろんありません。在日には民団という韓国を支持する組織もありますし、また各地には各出身地別に、例えば「慶尚北道道民会」などという親睦組織も多くあります。南系の金融機関なども北系に劣らずにあります。

さらに韓国には新韓銀行という民団系の商工人が出資した銀行もあって、多くの商工人も事業などで成功をおさめています。

日本と国交があり、資本主義国であり、同じく米国を軸とした同盟があり、そしてふるさとが南ですから当然といえば当然で「謎」などではないのであえて言及はしませんでしたが一世をはじめ民族愛は変わらずあります。

かえって日本の方から見ると在日の多くが「南」支持にまわってもおかしくないのにと思うわけですが、このご時世、この条件下でまだ「北」系の組織や学校が健在で同胞の支持を得つづけているのは一般的に「不思議」であり、その「不思議」の一端をつぶやいてみたまでのことにすぎません。

ここですこし寄り道ですが、有名な「坂中論文」についてつぶやいてみたいと思います。

「えっ、そんなの知らない」と思う人もいることでしょうから、かいつまんで申し上げます。法務局、入管の元幹部で東京の入国管理局長を務めた坂中英徳氏がまだ若かりし頃、提出した法務省の懸賞論文「今後の出入国管理行政のあり方について」のなかで、特に「在日朝鮮人の処遇について」触れたことがあります。

論文そのものは一九七五年に書かれたものでしたが、七七年に発表されました。その後いろんないきさつのあと、これが目にとめられ、一九八二年に法制化されます。

日韓条約で韓国籍の人の永住権は保障されているなか、朝鮮籍の人も永住権を取得する権利がある、帰化の道を大きく開けるべきだなどが含まれています。また管轄省庁が違うにせよ公営住宅入居や各種年金加入の権利、公的または商業金融機関の融資も禁ずるのではなく行なうべきだなどの提言も彼はやってきたといいます。

その当時は在日系の組織は「甘い言葉で日本に同化させようとしている」「子どもたちに祖国を忘れさせるための罠」などと反発しました。彼は弾圧をして権利を抑圧するから組織が強化される、ならば権利を与えれば組織は弱体し自然消滅するだろうと上司を説得しながら、在日の権利を広げようとしたかもしれません。（善意でとれば）

あれから四〇年経過しましたが、皮肉にも坂中論文の指摘通りに進んでいる面もあります。

この間四〇万人近くが帰化しましたし、一種の風化が進んでいます。

それでも自力で大学までの民族教育制度を維持していることには驚嘆します。

またこれは、どうとるかは自由ですが、在日の商工人のなかで自分の才覚だけでここまできたんだという人には一世、二世の権利擁護の激しい闘いがあったればこそ、そして一九五二年に設立された同胞の信用組合があったればこその現在の姿があるんだということをいわねばなりません。

日本の金融機関から締め出しを食っていたときの権利擁護の闘いがあったのだと。

後を継いだ三、四世の皆さんが今あるのも祖父や父たちのこの権利擁護の闘い、いわば組織があったればこその日本政府の譲歩があったということは認識しておいてもいいかと思います。いうなれば今ある成功のもともとの根源を理解し、恩人であるはずのもろもろに思いを馳せるということも大事かと思います。

この章では主に在日の謎のようなもの、不思議な側面だけをつぶやきましたので多方面の分析はしていません。ですが世代が変わるにつれ、ますますその多様化は避けられないでしょう。

しかし持ち前の激しく熱い大陸の血と、複雑な生い立ちからくるハングリー精神は、これからも日本の社会で代を次いで活躍するでしょうし社会の発展に貢献するはずです。

「人間の美学」「人間の勝利」として

今は国際結婚が圧倒的に多くなってきています。

どの家族も例外ではないようです。

正月など集まっても、ほとんどの家庭がそうなっているはずです。

過去も高句麗の王族が開拓したという埼玉の高麗神社周辺や新羅からの渡来者、百済からの渡来者、古くは渤海からの渡来者、九州の陶磁器の子孫たち、などなどネズミ算式に「日本人」になった人は数え切れません。

これからも増える一方でしょう。五世、六世になるとどうなるか分からないです。

南北が統一しそのコリアが黄金の地帯になればまたどう変わるか、それは未知数です。

なにはともあれ、日本とコリアが友好親善関係になる要素が満載です。

在日の多くの組織も世代交代がすすむにつれ、それぞれ一時の勢いはなくなっています。しかし、一世や二世の権利擁護や祖国統一のための犠牲的な働きは、なにかの形で今後の祖国の隆盛と発展、南北統一と、日本コリア友好の礎（いしずえ）となるはずです。

そして何らかの組織に属さなくとも各方面からの在日の権利擁護や差別とのたたかい、本国の発展のための百人百様の「苦悩の吐露や叫び」などの発信も、決して風化されなく意味を持つはずです。

たとえ何十年ののち在日朝鮮人社会自体が現在より尚、極少数派になろうとも、この長きにわたる運動は、時代の要請に従った仕事であり、その時期時期の歴史的任務と民族的使命を果たさんとした、「人間の美学」の実践として末永く残るだろうとつぶやきたくなります。それはとりもなおさず、長いスパンから見るとまさに一種の「人間の勝利」にちがいありません。

先達たちの夢みた祖国統一はまだ実現していませんが、それに向かって闘ってきた人たちの心意気は決して無ではなく、人間良心の勝利以外の何ものでもありません。

千数百年前の渤海のことを研究するにつけ、そういう思いが強くなりました。最近観た韓国ドラマ「トッケビ」ではないですが、想いは鬼神になってでもかなえようとするでしょう。

この「人間の美学」と「人間の勝利」という言葉を荘厳なレクイエム（鎮魂歌）として先達たちに捧げたいと思います。

この章で「在日の謎のいくつか」と題してつぶやいてきましたが、この問題はあまりにも複雑にいりくんでいるため万人が納得するような回答はとても出せません。それでも植民地／解放／分断／日本の未精算の状況のなかで生まれた在日としては複雑怪奇な自己の人生を逞しく、力強く生きていくしかありません。わたしのつぶやきもどのような形であれ自己の信じる道を確信を持って生きていく、という風な一種人生論的なものになりがちです。

この道もあれば、あの道もあり、その道もある。しかし大きな潮の流れ、悠久の歴史が指し示す方角に向かって、うまずたゆまず一歩一歩、歩んでいくところに生きていく味というものがありそうな気もします。

第四章　日本とコリアの未来

いまだ未清算のまま

「つぶやき」の最後です。

日本としてもいつまでも植民地云々をいっていられないので、早く過去を清算したいはずです。唯一清算がなされてない相手が北朝鮮です。

韓国とは、その評価についてはともかく曲がりなりにも「日韓条約」という形で解決はしています。

日本は今一九三か国の国連加盟国のうち、たった一か国、北朝鮮とだけ国交がなく承認していません。

千数百年前から高句麗や渤海などとあれだけ文物の交流があり、多くの影響をお互いしたりされたりした地域、遠いアフリカとかでなく、目と鼻の先のこの北朝鮮と「こういう関係」は異常としかいえません。

いろいろの問題も国交を結んでこそ解決されるものも多いはずです。

今現在、実質戦争状態にある国ですら国交はあるのにです。

一方北朝鮮は中国、ロシア、インドなどはもちろん、英、独、伊、をはじめ世界一六四か国と国交を結んでいます。決して孤立はしていません。

北との関係はいつまで未解決のままでいくのでしょうか。

いずれ二〇〇二年の日朝平壌宣言の精神に戻ると思いますが、ここで確認だけさせていただきます。

一言一言がとても意味が深いように思われますので「宣言文」としてでなく「小説」のようにぜひお読みになってください。

〈日朝平壌宣言〉

小泉純一郎日本国総理大臣と金正日朝鮮民主主義人民共和国国防委員長は、二〇〇二年九月一七日、平壌で出会い会談を行なった。

両首脳は、日朝間の不幸な過去を清算し、懸案事項を解決し、実りある政治、経済、文化的関係を樹立することが、双方の基本利益に合致するとともに、地域の平和と安定に大きく寄与するものとなるとの共通の認識を確認した。

一．双方は、この宣言に示された精神及び基本原則に従い、国交正常化を早期に実現させるため、あらゆる努力を傾注することとし、そのために二〇〇二年一〇月中に日朝国交正常化交渉を再開することとした。

双方は、相互の信頼関係に基づき、国交正常化の実現に至る過程においても、日朝間に存在する諸問題に誠意をもって取り組む強い決意を表明した。

二．日本側は、過去の植民地支配によって、朝鮮の人々に多大の損害と苦痛を与えたという歴史の事実を謙虚に受け止め、痛切な反省と心からのお詫びの気持ちを表明した。

双方は、日本側が朝鮮民主主義人民共和国側に対して、国交正常化の後、双方が適切と考える期間にわたり、無償資金協力、低金利の長期借款供与及び国際機関を通じた人道主義的支援等の経済協力を実施し、また、民間経済活動を支援する見地から国際協力銀行等による融資、信用供与等が実施されることが、この宣言の精神に合致するとの基本認識の下、国交正常化交渉において、経済協力の具体的な規模と内容を誠実に協議することとした。

双方は、国交正常化を実現するにあたっては、一九四五年八月一五日以前に生じた事由に基づく両国及びその国民のすべての財産及び請求権を相互に放棄するとの基本原則に従い、国交正常化交渉においてこれを具体的に協議することとした。

双方は、在日朝鮮人の地位に関する問題及び文化財の問題については、国交正常化交渉において誠実に協議することとした。

三．双方は、国際法を遵守し、互いの安全を脅かす行動をとらないことを確認した。また、日本国民の生命と安全にかかわる懸案問題については、朝鮮民主主義人民共和国側は、日朝が不正常な関係にあるなかで生じたこのような遺憾な問題が今後再び生じることがないよう適切な措置をとることを確認した。

四．双方は、北東アジア地域の平和と安定を維持、強化するため、互いに協力していくことを確認した。

双方は、この地域の関係各国の間に、相互の信頼に基づく協力関係が構築されることの重要性を確認するとともに、この地域の関係国間の関係が正常化されるにつれ、地域の信頼醸成を図るための枠組みを整備していくことが重要であるとの認識を一にした。

双方は、朝鮮半島の核問題の包括的な解決のため、関連するすべての国際的合意を遵守することを確認した。また、双方は、核問題及びミサイル問題を含む安全保障上の諸問題に関し、関係諸国間の対話を促進し、問題解決を図ることの必要性を確認した。

朝鮮民主主義人民共和国側は、この宣言の精神に従い、ミサイル発射のモラトリアムを二〇〇三年以降も更に延長していく意向を表明した。

双方は、安全保障にかかわる問題について協議を行なっていくこととした。

日本国総理大臣　小泉純一郎

朝鮮民主主義人民共和国国防委員会委員長　金正日

二〇〇二年九月一七日

平壌

これが一番新しい日朝間の宣言ですが、今はうまくいっていません。宣言通り友好親善関係が実現すればどれほどいいでしょうか。拉致問題等もあるでしょうが、やはり一番は国際情勢の動きかなと後期高齢者はつぶやきたくなります。

ここには二〇〇二年以後表面化した米中のいわゆる覇権争いの波が大きく影を落としています。

日本全国にあるいろいろなお寺や神社、お祭りには渡来人というコリアの影響がそこここに見られます。

司馬遼太郎と上田正昭、金達寿の座談会を本にまとめた『日本の朝鮮文化』（中央公論社、一九七二）などにもいろいろと書かれていますが、映画「神々の履歴書」（前田憲二監督、一九八八）、「土俗の乱声」（映像ハヌル、一九九〇）なども興味深いです。

数年前に行った奈良の飛鳥寺もそうですし、何度も行ったことがある埼玉の高麗神社もそうです。地方ごと県ごとに影響の無いものを探すのが難しいほどです。

渡来人が大きな影響

ここでは大磯ロングビーチがある大磯のことだけつぶやいてみます。

何度か夏のシーズンに行きましたし、よく通った場所です。

二〇〇九年三月に焼失した元首相吉田茂氏の邸宅もここにありました。

また『夜明け前』の島崎藤村（一八七二～一九四三）が晩年二年を過ごした旧宅が保存されています。私は中学時代「小諸なる古城のほとり……」ではじまる千曲川旅情の歌が好きで丸暗記した覚えがあるのでそこにも行ってみました。

大磯には「高来神社」というのがあります。

かつて「高麗寺」といわれましたが、その後明治政府の神仏分離で「高麗神社」になり、今の名に変わったといいます。

近くに高麗山という二〇〇メートルにも満たない小さな山もあります。

この寺で源頼朝の妻政子が安産の祈願をしたようです。

六六六年、三国時代新羅、唐の連合軍が百済を滅ぼし高句麗を攻撃してきたとき、高句麗は日本の朝廷に援軍要請に来たのですが、そのときの外交使節団が高句麗の王族、若光です。

六六八年高句麗が滅び、帰るべき母国を失った若光はそのまま日本に残りました。難を逃れて日本に渡ってきた渡来人たちは日本にない知識や技術を持った集団でしたから朝廷は彼らを国土開発に積極的に活用しようとします。

その若光が最初に上陸したのが大磯だといいます。

朝鮮語で「オイソ」は「いらっしゃい」という意味だそうですが、由来は定かではないようです。

「大磯町史」には「若光が後代に神と崇められるほど、渡来した高句麗人の拠り所となった人物であったこと、彼を慕う高句麗人が相模国では多く大磯の地に居住していたこと、その一部が武蔵高麗郡に移り住んだこと、などは史実とみなしてよいであろう」と書いてあります。

七一六年にできた高麗郡の長は若光で高麗神社の祭神です。別に白髭明神ともいわれました。高句麗の後継国渤海にしろ、あの時代はそういう新羅や百済、高句麗の渡来人が日本に大きな影響を与えたことは間違いないようです。

ヨーロッパ人から見たら顔も同じように見えるはずです。

覆水盆に返らずで終わったことを巻き戻しするわけにはいきません。

「少年老いやすく学成り難し　一寸の光陰軽んずべからず」朱熹
「子曰く　朋有り　遠方より来たる　また楽しからずや」孔子
「はやきこと風のごとく　しずかなること林のごとく」孫子
「国破れて山河あり　城春にして草木深し」杜甫
「吾十有五にして学に志す　三十にして立つ」孔子
などの言葉や、
「呉越同舟」「四面楚歌」「朝令暮改」「五里霧中」「臥竜点睛」「厚顔無恥」
「晴耕雨読」「付和雷同」「絶体絶命」「温故知新」などの四文字熟語、
「矛盾」をはじめ多くの言葉。
ほんの一部ですが、これらすべてを英語やフランス語、ドイツ語でどう訳すのかはわかりませんが、多くが意味の説明でそのものずばりは表現が難しいはずです。

しかし日本、南北朝鮮、中国は漢字文化が残っており、今も日常でつかっており、感性が似通っています。

秋晴れのとき、北朝鮮の高原地帯を車で走っていたら「天高馬肥の秋ですね」といわれたり、韓国の田舎である親戚に「一日千秋の思いで待っていたよ」といわれたりしました。

ここですこし寄り道ですが、エピソードを一つ。

韓国旅行で「一日千秋」といわれた前の日、ソウルのホテルでタクシーに乗りました。運転手に景福宮まで行ってくれというと、急に運転手が怒り出すのです。「駄目だ、そんな(近い)とこは、キョポ(在日同胞)であればまず三八度線に行くべきだ」「まずそこだ」といいながら有無をいわせない雰囲気です。

タクシーに乗って行先の問題で運転手に怒鳴られたのは後にも先にも初めてのことで驚きました。

ついでにタクシー話がもう一つ。

釜山の駅からタクシーを拾いました。

「模範」というマークのタクシーに乗らないといけないといわれていたのでそのマークの車に乗りました。

チャガルチという市場に行ってくれというと、運転手は「そんなところはつまらない、行くなら地元の人がよく行くひなびた港町のキジャンがいい」といい張ります。聞いたこともない地名だったので不安でしたが運転手の意気込みに負けてしまい、そこに行くことにしました。

運転手さんの名誉のためいいますが、料金は先払いで一日貸し切りですから善意からきたものと思います。

山越え、河越えでだいぶ走ります。

着いたところは、海沿いのテントが張ってあるお店です。この港町キジャンは漢字で機張と書きます。

蛇みたいな魚、日本ではアナゴというのでしょうか、それらを生きたまま生け簀に泳いでいるのを、あれだ、これがいい、など指名して七輪のようなもので網で焼いて食べるのです。

要領が分からないだろうからと運転手も一緒に座ります。

当然一緒に食べることになります。

まあ、旅だからいいだろうと思っていたら、「しっぽがうまいんだ」とかいいながらお客よりしっかり食べます。今でも追憶の一つになっているということはそこに行ってよかったということなんでしょう。

愛嬌があるといえばそれまでですが、日本育ちのおとなしい（？）私などはついて行くのがやっとでした。夜通しやっている東大門市場のアジュマたちといい、運転手といい、バイタリティあふれる姿に北とは違うまた別の一種魅力のようなものを感じました。

韓国旅行に行く日本のご婦人たちが、「あそこに行くと元気を貰えるのよ」というのも分かるような気もします。

そして感性が同じな南北人民が一つになれない理由などどこにもないと感じるのです。

「冬ソナ」大ヒットのわけ

日本は明治維新以後あまりにも欧米志向が強く、すっかり東アジア三か国の友好がおろそかになっているのではないかというのが高齢者のつぶやきです。日本は地理的には東アジアに属していますが、西欧の組に入っているような気がしないでもありません。

韓国ドラマ「冬のソナタ」がなぜ日本で大ヒットしたのでしょうか。

ペ・ヨンジュンやチェ・ジウの雰囲気もそうですが、やはり相通じる感性というものが大きいと思います。

これがハリウッドや欧州の映画だとこうはいきません。ハンフリー・ボガードが出てもブリジット・バルドーが出ても「冬ソナ」は作れないと思います。インドとかペルシャの宮廷ドラマや、ヨーロッパのテレビドラマも多くありますが韓ドラほど人気がないというのもこういう感性の親近感というのがあるのではないかと「つぶやき」ます。

コロナの自粛期間再度観ましたがやはり、やはりいいドラマです。最後の海沿いの別荘の場面は何度も何度も繰り返し見てしまいます。眼が見えないカン・ジュンサン、いたいけな表情のチョン・ユジン、夕焼けの海、ガタンという音に振りかえり、確認するジュンサン。

船着場からカートに乗る場面、忘れ物取りに行く場面、なんども見たくなるシーンです。

観る人は数々の追憶部分を知っているのでなおのこと感極まります。スキー場や並木道、夜の星空、「ポラリス」という星の話、などなど……。追想が最後の場面で一気に観るものをおそってきます。感情の細やかな動きまで伝わってきます。

あっさり、さっぱりの欧米の映画とはまた違う味があります。

二〇〇九年に東京ドームで行なわれた東京イベントはドラマから五年も経っているのに、四万五千人の大盛況で、手を振るペ・ヨンジュンとチェ・ジウにあわせて四万五千人が振り回す白いハンカチ。もうこれは一種の社会現象で「ヨン様」は今でも「ヨン様」で通じます。

日本人に合う感性は東アジアの共通の感性だと思います。

数千年の長い歴史がそうさせるのだと思います。

たかがドラマですが後期高齢者は深い思索のなかに入ります。

やはり同じ漢字文化の国同士は切っても切れない関係なんだと。

やはり日本がアジア、特に東アジアに戻ってくるのがとても大事だと思います。

もちろんヨーロッパやアメリカ大陸の人たちと仲良くするのも大事ですが、東アジアが友好親善でまとまれば安全保障の問題も軍事費負担もＪアラートもすべて解決すると思うのです。

なにか大きな国際政治のからくりが、日本をして日本を囲む本来仲良くすべき中国、コリアとの関係をぎくしゃくさせているのではないかと思われてなりません。

東アジア三民族の友好親善が強化されれば世界ナンバーワンの黄金地帯になることは疑いの余地はないものと思われます。超大国間の縄張り争いの犠牲になるわけにはいかないのです。

日本が憧れたアメリカも今悩んでいると思います。深刻な国内の分断、親子間での政治対立、毎日のような銃による殺人事件、自殺率の多さ、麻薬やヘロインの害や事件、貧富の格差の激しさ、黒人差別や移民問題、治安の悪さ、日本や韓国をはじめ世界に四五万人の軍属を派遣して「俺様のような国を造れ」と言っても肝心のモデルがそうでは、どうしたらいいのでしょうか。

一七〇〇年代当時の先進国イギリスなどの人たちが、北アメリカで原住民を追い出し、その土地に国を造ろうとしましたから当然世界の大国にはなるのでしょうが、他の世界は段階を踏んで何千年もかけてきた文化や伝統がありますからなかなか大変です。

すべてキリスト教ユダヤ教、でもなく仏教やイスラム教ヒンズー教など多くの宗教があります。

文明も西欧文明だけでなく、イスラム文明、東方正教会文明、中華文明など長い歴史の文明があります。

三〇〇年位しか歴史がない国が数千年の文明を持つ国々に同じ物差しでせまるとどうしても無理が出てきそうです。

どなたかが著書でおっしゃっていましたが、ややもすれば正義への「驕り」が「野蛮」を生み出すこともでてきて世界は不安定になりがちです。

ルールに基づいた権力闘争によって政権交代が行なわれその度に社会変革の方向性が変わるということは絶えず政治不安を呼び起こします。第二章で言及した米韓などの一貫しない対北政策の失敗も結局権力闘争ゆえの産物だといえなくもありません。

票イコール大衆だと、政治家は大衆を引き付けるパフォーマーにならざるを得なくなるということです。

また世界のもろもろの問題を話し合う大国の集まりも、いつの間にか　運動会の紅組、白組のように別れ対立して欧米組に入っているＧ７の日本が苦しそうに思われるのは気のせいでしょうか。

私は日本にしかできない、日本こそが世界の平和と安定に決定的な役割を果たすことができるはずだと信じているのです。

今は、そのアメリカ自身も力の衰えを自覚してオバマ政権以降「世界の警察」をやめると公言しています。私はこういう時に到着点から見る癖があります。

ゴルフでいうとグリーンからティーグランドを見る感じでしょうか。

あんなに小さく見えたグリーンがバカでかく、ティーグランドは見えないぐらい小さいのです。日本と中国がそして統一朝鮮が（または南北ともに）仲良く貿易や文化交流が盛んで三者ウイン・ウインで世界最強の経済文化ブロックを日本が先導している姿です。

一四億の中国人がひっきりなしに観光で金を落とし日本製品を買う、北の地下資源は日本が投資し大きく利益をあげる、南のエンタメと日本の芸能がタッグを組む、ユーラシア大陸に直接空路を使わず乗り込む、まさに黄金すぎる東アジア全盛の時代です。

少子高齢化社会で子孫に残す遺産として〈東アジア友好〉ほど立派な資産はないと思います。三民族が友好の約束があれば軍事力の心配がありません。こんな狭いところにぶっそうな武器は必要ないはずです。日本と友好になることは誰も反対しませんし、していません。中国や北が日本そのものを攻めることは一〇〇％、いや一〇〇〇％無いはずです。こんな簡単なこともグリーンから見たらよく見えます。

北のトップも首相と一緒に軽井沢でゴルフや乗馬を楽しむことでしょう。

それは決して夢物語ではなくなるはずです。

アメリカも今海外に軍隊を派遣しているNATOや日韓などに強烈に役割分担をせまっています。以前と違ってこのカラクリは世界が見抜いています。日本もわかっているはずだと思います。

三民族親善のために日本が先頭に立って大きく外交を変えていくしか良い未来をもってくることは出来ないのではないかというのが、私のおおきな「つぶやき」です。

このような狭い海域に空母だ原潜だミサイル基地だ小型核だ長距離弾道弾だが密集しているなんてことはどう考えても尋常ではありません。どの国だって落ち着かないです。


いつか、ちょっとしたことで大惨事になりかねません。

これをどうしても打破するとなると大きな潮の流れを読まなければなりません。

ハンチントンの『文明の衝突』を読みましたが、衝突が大きな争いに発展しないことを祈るしかありません。

文明の衝突が書かれた一九九〇年代初頭は冷戦が終わったという転換点でした。

その頃書かれたフランシス・フクヤマ氏の『歴史の終わり』で自由民主主義が勝利し、今後他のイデオロギーは登場しなくなり、そのような闘争の時代は終わったと指摘しましたが、『文明の衝突』はこういう議論への批判として書かれたと認識しています。それによれば世界は七～八個の文明圏に分かれていて今度は、それが表面化してアメリカに様々な文明が挑戦してくるというものです。

今まさにそれが表面化されているようで、第二次大戦後の歴史を肌感覚で見てきた後期高齢者としては、対決よりも和解への外交をどの国も、特に東アジアでは日本にも迫られているとつぶやきたくなります。

子どもたちの幸せな未来のために真剣に考えるときがきたように思われます。

日朝交流をはばむもの

高齢者のつぶやきはときに、古い話が往々にして出てきます。そういうものだと思ってお聞き下さい。いやお読みください。

今の若い方、といっても五〇歳ぐらいの人も含めてですが、日本と北朝鮮がすごい交流関係にあったことをご存じない方も多くおられるかもしれません。

北は、日本との友好親善と国交を望んでいるのは間違いないでしょう。

まず、向こうのトップからして日本との親善を切実に望んでいました。

読売新聞のコラム「編集手帳」を一七年間担当したこともある高木健夫氏は論説委員会の顧問として北朝鮮を訪問した一九七一年一二月三一日と翌七二年一月一〇日に金日成主席と会見し大きな感銘を受けたとおっしゃっていました。

その席で主席は「両国人民は非常に親密だ。あなた方と力を合わせて両国が近い間柄になるべく、友好親善を積み上げていこう」と語ったといっています。

その当時はスポーツ、芸術、学術、経済など多くの分野で交流がさかんでした。

今日本はJリーグができてサッカーは国民的スポーツになっていますが、あの当時は北朝鮮のほうが圧倒的に強かった時代です。

高校サッカーも例外ではありませんでした。

日本はさかんに北のサッカーチームを招待します。

「赤い稲妻」

北のサッカーチームの事をこう呼んでいました。ピョンヤン学生少年サッカー団来日。

赤い稲妻、日本の高校チームを圧倒。超ロングパスは神業。スピードと迫力が比べられない……。など新聞記事もセンセーショナルでした。

私も小柄のウイングの選手と話す機会がありました。

「左ライン近くから右ラインを駆け抜けてくる選手にドンピシャの正確なロングパスを放り込むコツはなんですか？」と聞いたところ、すました顔で「コツなどないです。ただ練習あるのみです」と答えるのです。「はい分かりました」というしかありませんでした。

とりあえず強いのです。


それもそのはず、北は一九六六年のワールドカップ、ロンドン大会でアジア初のベスト八に入った強豪でした。

優勝候補のイタリアに予選ラウンドで勝利したときは世界が驚嘆しました。

イタリアチームは帰路、空港で腐ったなにかを投げられたとかのニュースが新聞をにぎわせました。ベスト四をかけたポルトガルとの試合でも前半、北が三－〇で有利に展開。誰もが勝利を期待したところ、後半からポルトガルのエース、オイセビオの活躍や反則（オフサイド）で審判ともめるなどで、今ならVAR（ビデオ・アシスタント・レフェリー）があるのでしょうが結局、三 - 五で惜敗しましたが、十分世界に衝撃を与える試合展開でした。

また、北の国立の万寿台芸術団を招き日本全国をまわって講演しました。行く先々絶賛の嵐でした。

上野の文化会館はバスから降りてくる芸術団を一目見ようと公演口前広場は「人山人海」でごった返します。

芸術団の女性舞踊手には特別の関心が集まっていたといいます。大きな都市はすべて回ったのですが、どこも今でいうBTS並みの人気でした。

またそれとは別に、アコーディオンや木琴がべらぼうにうまいピョンヤン学生少年芸術団も全国各地で絶賛をうけました。

ピョンヤン学生少年宮殿でもまれた精鋭ばかりですから、なにもかも上手なのです。

さらに一九七二年三月二一日、奈良県の高松塚古墳が発掘されたときは一大古代史ブームになりました。

高句麗の壁画とそっくりということで北朝鮮の考古学の権威、「古代朝日関係史」など多くの著作を残している金錫亨社会科学院院長を招待して話題をさらいました。

松本清張氏なども頻繁に会いに来ていました。

ここでエピソードですが、どういうわけか私も案内人の一人として高松塚に同行することになりました。当時私はまだ考古学の勉強はしていなくて渤海研究家でもありません。奈良県にある奈良ホテルに初めて泊まり、京都や東京の国立博物館にも同行しましたが一番印象に残っているのが当時上野の博物館に展示されていた、広開土大王の原寸大レプリカの碑です。

本物は中国の東北地方にあるものです。

高句麗時代一番領土を広げた王で映画やドラマにもなってるその人のことを記した碑です。

金錫亨（キムソクヒョン）博士はそこから立ち去ろうとしません。

「行きましょう」と声をかけてもいうことを聞かないばかりか、背広から手帳を取り出し、碑文を書きこんでいきます。

真剣そのものです。

特にナイフかなんかで削り取られた部分を真剣に見ていました。

眼鏡越しの博士のお顔がこわかったのを今でも思い出されます。

当然博士は本物を見ているはずでした。なにか違いでも見つけたかのようです。

この石碑は高句麗二〇代目の長寿王が父である広開土王（好太王碑）の業績を残すために四一四年に建てられたもので、高さ六・三メートルの巨大なものです。

この二人の王の時代は、歴史上コリア人すべて、南北問わずに一番民族の自負心を高めた時代でした。

在日の学者李進熙（イジニ）さんは日本の「碑文改ざん」を問題視し、日本が朝鮮侵略を正当化するのに利用したといいます。石碑のなかで都合の悪い部分を削り取り、任那日本府（注14）を通して伽耶地方を二世紀の間支配したという改ざん疑惑です。

石灰を塗ってその表面に文字を書くという手法だといいます。

博士の視線はそこに集中していたように思えました。

また一方で中国との関係もあります。

二〇二二年九月、韓国ソウルで開催された「韓日中青銅器遺物展」では中国国家科学院が提示したコリア古代史年表には高句麗と渤海を外していて物議を醸しだしました。

渤海を研究してから分かったことですが、中国は高句麗も渤海も中国の一部として今でも朝鮮の歴史から除いています。

博士の真剣なまなざしはそういうところからもきたのではないかと今になって思っています。

東京では帝国ホテルが宿舎でしたが、博士の昼食は毎回中華のジャージャー麺でした。おかげでご相伴にあずかった私もすっかりジャージャー麺のファンになってしまいました。

よごれた靴を拭いてあげようとすると、博士は「私は奴隷を雇った覚えはない」と柔和な笑顔でジョークを飛ばします。忘れられない博士との思い出です。

さて日朝友好です。

また、有名な日本の電機機器メーカーを訪問する経済代表団も後を絶ちませんでした。この当時、日本も本気で北との経済交流や貿易を考えていました。

いきなり、エピソードの連続になりますが、ある経済代表団と日本のメーカーとの食事会でフランス料理が出されました。

案内する私も不慣れで、だまって私を見ている経済代表団の前でフォークとナイフを外側から使うものを内側から間違って使ったのですが、皆さんは私のやる通りにするので一つナイフを使うたびにボーイが同じものを皆さんの前に置いていくということがありました。

今思い出しても赤面のいたりです。

そして東京都内の八階建てのビルを貸し切って（その後大阪でも開催）超ロングランで朝鮮民主主義人民共和国商品展覧会まで開催したのでした。

クソン一号などの旋盤や工作機械などに関心が集まっていました。

朝鮮人参、高麗青磁の壺なども話題を集めました。

多くの日本の人、在日の人で連日大盛況でした。

私もその会場に何度か行きましたが、ごった返していたというのが印象として残っています。

多くの人が集まるのでいろいろな出会いもありました。

マッタケなど、日本との貿易額も年毎、増えていきました。

北との貿易を始める会社も雨後のタケノコのように増えて行きます。

今から五〇年前、一九七〇代初めごろの話です。


この一連のことを読まれて驚かれる方もいるかもしれません。

日本の方もそうでしょうが、在日の人もビックリすると思います。

誰もがあのまま、スーっと日朝国交正常化、親善の大きな扉が開くとばかり思っていましたのですから。

なぜ、スーっと行かなかったのでしょうか。

結局はそれを望まない巨大な勢力が存在したということでしょうか。

朝鮮戦争が停戦状態のままだということや、米ソ対立のなかでにっちもさっちもいかなくなったのが原因かもしれません。

今は、対話と圧力というのも圧力一辺倒になってきていますからまずは対話を始めたほうがいいと思います。

そこで拉致のことですが、北朝鮮としてもあってはならない拉致というひどい事件を起こしたことで、どれほど日本、そして日本国民から信用を落とし、多くの在日のコリアンに失望を与えたか、そしてそれによって、過去の植民地支配という、つり合いのとれないものとツーペーになるほど世論が悪化し北自身が多大な損害をこうむったのか重々承知していることでしょう。

少なからずの人が総連系の組織を離脱する現象も現れました。しかしこの問題を未来永劫ひきずるわけにいきませんので、対話を優先して英知を結集して解決させ、両国間の関係が正常に戻ることを祈るしかありません。

北はそうだとして、南のほうはと思いをめぐらせますが、エンタメや経済、特にサムソンなどの半導体や自動車、造船など素晴らしい発展には目を見張らせます。天文台や測雨器、金属活字をいち早くつくった民族の優秀さを感じさせられます。

しかし、最近は、何かとけしかけられて北との対決一辺倒の姿勢も気がかりではあります。

韓ドラなど折角日本や在日からも民間レベルでの人気はあるのですから、もうすこしうまく近隣外交をする必要がありそうです。

新冷戦ムードでがんじがらめなのはよくわかるのですが、何とか南北融和で地域の緊張を解く方向に進んでもらいたいものです。大国間の対立が激しくなると、その影響下にあるそれより小さな国はどうしても旗幟鮮明にならざるを得なくなるのでしょうか。

たった四年ほど前の文在寅前大統領のピョンヤンでの感動的な演説と今の大統領の対決一辺倒の態度を見るにつけ、「コロコロ」度に驚くばかりです。

統一ドイツの初代大統領のヴァイツゼッカーが、一九八五年ドイツ敗戦四〇周年に際して国会で演説したのが「過去に目を閉ざすものは、現在にも盲目になる」でした。なんとか一日でも早く過去を清算して素晴らしい日本とコリアの関係を作りあげていってほしいものです。

在日コリアンのほとんどの家庭が自分たちの小さな枠のなかの話でもそれを望んでいます。

ペルシャ帝国―ローマ帝国―漢王朝―イスラム帝国―フランク王国―モンゴル帝国―大航海時代から帝国の活動―オランダ、イギリスなど欧米各国の帝国主義―米ソ冷戦―米の一極支配―そして？　と大きな潮の流れを感じさせる世界の動きです。

二極化か、はたまた多極化か。

この流れによっては東アジア、とくに日本とコリアも大きな波にさらされますし、現にさらされています。

政治家のみならず、各人各様、学者やマスメディアも一般人もしっかりと、正義に基づいた立ち居振る舞いが要求されます。……と後期高齢者は年甲斐もなくどでかい話にもっていこうとします。

「誰のための戦争か」

「つぶやき」ついでにウクライナの戦争問題についてもふれようかと思いましたが私の出番ではないので遠慮いたします。

ただ、この問題は今までつぶやいてきた「統一問題」「核問題」「日本コリア友好問題」などすべてに大きく影響してきます。

テレビや新聞、雑誌などでいろいろな方がいろいろの発言をしていますが、この一年間、毎日同じ人ばかり見ているような気がします。

ウクライナには行ったことがなく、肌感覚が全く分からない私としては、どなたかの発言を持って考えるしかないですが、「総力特集　誰のための戦争か？」（文芸春秋、二〇二二年六月号）では発言者の経歴や現在の肩書などから、ここで紹介してもいいのではないかと思いました。

読まれてない方のために簡単にかいつまんで書きますと、

発言者はJ・ミアシャイマー氏（国際政治学者・シカゴ大学教授、七四歳）。米陸軍士官学校を卒業五年間の空軍勤務を経て一九八二年からシカゴ大学で教鞭をとってきており、冷戦後の国際政治の研究をリードしてきました。

このインタビューは開戦後日本メディア初登場とあります。

かいつまんだ内容としては、

―アメリカは失敗した。アメリカは熊の目を棒でつっついた。怒った熊はどうしたか。

当然反撃に出る。熊はプーチンだ。

—西側が善人でプーチンは悪人だという言説は米国自身が非難されないための作り話だ。

—全ての責任はプーチンにあるとか、プーチンは拡大主義者で帝国主義者でヒトラーの再来だという西側の弁は完全に間違っている。

—最大の勝者は中国だ。

—アメリカは軸足をアジアに持ってこようとしたが出来なくなった。

—バイデン大統領は現在のウクライナ危機を引き起こしたメインプレイヤーの一人だ。

—ロシアを中国側に追いやってしまった。

—ロシアという大国を追い詰めるのは極めて愚かである。

—東アジアにこそ真の脅威が存在している。


などです。賛否両論があるのでしょうが、こういう大手出版社の月刊誌に掲載されているということはそれなりの意図や意味もあるのでしょう。

このことはこれ以上つぶやきませんが、一つだけ「ある文章」を紹介します。

米英の連日のプロパガンダは正しいか。確かに民主や平和は尊い。だが米英は本当にその対象なのか。……米英はいずれも極端な勝ち組だ。彼らは自国の版図については既に足るものを有しているので現状の変更を望まず、一方、市場についてはいっそうの拡大を望んでいる。米英人の平和は自己に都合よき現状維持にして、これに人道の美名を冠したるものに過ぎない。英国の大作家、バーナードショーも自国をこう評しているではないか。

〝英国人は野心を正義の包装紙で包むのが上手。強盗略奪をあえてしながらいかなる場合にも道徳的口実を失わず、自由と独立を宣伝しながら植民地の名の下に天下の半を割いてその利益を壟断しつつあり〟と。

先に富んだものが〝金持ちは喧嘩せずとも別の方法で相手を黙らせられる〟との理屈を平和主義にすりかえ、善を独占するのはいかがなものか。

最近我が国の論壇が米英政治家の花々しき宣伝に魅了せられて、彼らの、いわゆる、民主主義、人道主義の背後に潜む多くの自覚せざる、または自覚せる利己主義を洞察しない。

誰のいつの言葉なのかはあとに記しますが、ここに来て今大きな転換点にきているのは確かです。

この世界の問題の潮の流れは果たしてどうなっていくでしょうか。

ホーキング博士のいっていた地球の運命とも鑑みて、温暖化や疫病、自然災害激化などは待ったなしで人間を襲ってきます。難民は食うに食えなく先進諸国になだれ込んでくるかもしれません。

最近の新聞報道によりますと二〇二二年一一月で地球の人口が八〇億人を超えたそうです。すべての人がアメリカと同じ暮らしをするのなら地球が五・一個、日本と同じなら二・九個必要らしいです。

人類の英知が試されているような気がします。

先ほどの文章ですが、あの言葉は、一九一八年一一月、第一次世界大戦が休戦になったとき、二〇歳代の近衛文麿がいっていた「英米本位の平和主義を排す」と題した時論だそうです。

今から一〇四年も前です。近衛文麿は第三四・三八・三九代総理大臣になります。

この言葉を二〇二二年四月、片山杜秀氏が週刊新潮のコラムで取り上げていました。ということはこれにも何か思うところがあったということでしょう。片山氏の意図はどういうところにあったかは別にして、この近衛文麿の時論は現在の世界情勢に当てはめてみても実に興味深いところがあります。

週刊誌に刺激されて雑誌「日本及日本人」（一九一八年一二月一五日号）に掲載された、この時論を全文読んでみたところ、次のような記述もありました。

「現状維持を便利とする国は平和を叫び、現状破壊を便利とする国は戦争を唱ふ。平和主義なる故に必しも正義人道に叶ふに非ず……。……平和主義の国必しも正義人道の味方として誇るの資格なし。……英国の如き仏国の如き其殖民地史の示す如く、早く已（すで）に世界の劣等文明地方を占領して之を殖民地となし、其利益を独占して憚らざりしが故に、独り独逸とのみ言はず、凡ての後進国は獲得すべき土地なく膨張発展すべき余地を見出す能はざる状態にありしなり。かくの如き状態は人類機会均等の原則に悖り、各国民の平等生存権を脅かすものにして正義人道に背反するの甚しきものなり。」（『戦後日本外交論集』北岡伸一編・解説より）

この近衛文麿の時論を読んでいくと、今でいうと、いわゆる先進国が「勝ち組」で、先進国が平和を叫ぶ裏には正義人道に背反することがある、とも聞こえてきます。どこかの誰かが「先進国本位の平和主義を排す」といっても、なるほどと思えてくるような文章になっています。

一九一八年の日本とて植民地宗主国でありアジアでは「持てる国」だったわけですから、それ以外の国々からしてみれば「後進国は永遠に後進国になれ」といわれているようで、はっとします。

こういう思考が鬼畜米英といって太平洋戦争になだれ込んでいく背景にあったのかは別としても、じつに深甚な意味を持つ時論でした。

渤海と敦賀

ここまで、いろいろなことをつぶやいてきましたが、いかがでしたでしょうか。

実は、私は渤海研究家として「渤海」の本を一冊出そうかと思っていました。

ほとんど原稿は出来上がっていましたが、それは急遽変更してこの本になりました。

これについて、すこし、つぶやくのをお許しください。

渤海はドラマにもありますが、テ・ジョヨンが西暦六九八年に建国した高句麗の後継国家です。

領土も今の北朝鮮、中国東北部、ロシア沿海州を含み大きいです。

渤海は二〇〇年間に日本に三四回も遣使を送っています。

日本からも行っています。

その当時の遣唐使一六回より二倍以上、江戸時代の朝鮮通信使一四回よりも二倍以上です。

文物の交流も盛んで日本・渤海善隣友好関係は大きな意義をもっています。

ときの天皇の命により北陸の敦賀に「松原客館」という立派な迎賓館が建てられました。

そこが窓口になって都にいくわけです。

敦賀居住の気比史学会会長の糀谷好晃氏は『松原客館の謎に迫る』、など多くの本を執筆または編集されていますが、氏の四五年間にわたる研究にはまったく頭がさがる思いでした。

その本の帯にはこう記しています。

「古代東北アジアの大国、渤海。この知られざる〝海東の盛国〟は一貫して親日的な外交姿勢をとり続けた。日渤両国を直に結んだ潮の道、風の道の表玄関は北陸であり、敦賀はその拠点であった」

敦賀は日本側のゲートウェイ（玄関）だったといいます。

上田正昭氏はこの本のなかで、

特にお隣の朝鮮半島、残念ながら朝鮮民主主義人民共和国と大韓民国に分かれておりますけど、一番近い国ですからね、一番近い国のことを知らなくて国際化ということを言ってきたわけです。……

ところが韓国の歴史や朝鮮の歴史を日本人はまともに学校で教わってこなかった。欧米中心の世界歴史を習ってきた。だから皆さんは、ギリシャやローマの歴史は割合知っている。……

つまり日本人は、一番近い国や民族の事をおろそかにしてきたんです。特に朝鮮半島は、一九一〇年以後、日本の植民地になりまして、朝鮮の皆さんが朝鮮名を名乗ることを許さなかった。……創氏改名と申します。そして朝鮮人の強制連行などの歴史も皆さんご存じでしょう。差別し迫害したわけです。

そういうことが平然と行なわれた結果、余計にですね、朝鮮民族なんて大したことがないという考えが根づいてしまったのです……

私はそういう歴史の見方や考え方はよくないと思っています。

現代から過去を見る、そして現代から未来を展望することだと力説します。といわれ、渤海が来たときから国際交流をやっていたといいながら、本当の歴史は

私が渤海を研究することは、とりもなおさず、コリアと日本の明るい未来を築くことにつながる道だと背中を押されるようなお言葉でした。

一九九〇年代半ば大阪女子大学学長、京都大学名誉教授であった上田正昭氏の「松原客館などの意義について」の講演記録は時が過ぎても決して色あせることがないでしょう。

残念ながら七年ほど前にお亡くなりになられましたが、ここで引用することをきっとお許しになられると思います。

小泉訪朝でなされた平壌宣言の二の部分で、

「日本側は、過去の植民地支配によって、朝鮮の人々に多大の損害と苦痛を与えたという歴史の事実を謙虚に受け止め、痛切な反省と心からのお詫びの気持ちを表明した」

とありますが、国民に広く「歴史の事実」を教えているでしょうか、疑問です。

作家の高史明（コサミョン）さんは、「失われた私の朝鮮を求めて」という短文で、「もしも今日、この日本の大地から一切の日本語が追放されるという事態が発生したら何が起こるだろうか」「その（日本語の）ひびきは日本の風土の奥深くへ消すことの出来ない豊饒として浸潤しており、日本人が日本人であるのは、まさにこの日本語にはぐくまれてきたからであって、それは日本人の血、肉となってい、この日本人から日本語を奪い去るのは、日本人の存在そのものの否定に等しいからである」と書かれていました。

被害者の立場に立ったらなんと怖いことでしょう。

日本人から日本語を奪うなんてことが……。

しかしそれを朝鮮では日本が実施してきたのです。

若い人は「そんな残酷なことをわれわれ日本人がやったとはとても信じられません」

と思っている人も多いことでしょう。しかし教えてないだけの話だと思います。それは創氏改名、強制連行、三一独立運動、皇民化政策、関東大震災時朝鮮人虐殺（注15）などでも同じであまり習ってこなかったといいます。

知らなければ「痛切な反省と心からのお詫び」の感情はでてこないかもしれません。知らないがゆえに、そして過去に植民地支配した「反省とお詫び」を教科書などで具体化しないがゆえに、今でもコリアに対する差別意識が払拭されていません。もっといえば、「終戦」（「敗戦」なのですが、なぜか日本では「終戦」という言葉が多用されてきました）はアメリカにやられた被害者という側面が強く、加害者の国であったことはすっぽり抜けているようにも思えてくるのです。

北陸の田舎から、単身東京に出てきた私が働いた店の店長は、五〇歳過ぎの白髪の紳士でしたが、仕事が終わるとよく私を焼き肉屋に誘ってくれました。

酔うと店長は植民地時代に田舎の慶尚道から強制的に北海道の炭鉱に連れていかれるところだった、というのです。そのまま連れて行かれればタコ部屋で死んでいたはずだとも。

下関から上野まで来た時、店長はトイレに入るといって引率者をだまし、トイレの窓から逃げたということを、何かの武勇伝でも語るように何回も何回も同じ話をするのです。

私はその当時は人生で一番勉強した時期でした。

ウリマル（朝鮮語）の習得から歴史や文化、そして企業の専門知識習得など毎晩夜五時間は計画を立て自習していました。

店長の話は毎回同じ話を延々とするため自習の時間が無くなると悩みましたが、今振り返ると「貴重なお話をありがとうございました」といいたいぐらいです。

三か月ぐらいでウリマルを基本的に習得することができましたが、それよりも強制連行の生々しい経験談はその後の我が「真理の追求の旅」の大いなる刺激になりました。

私は朝鮮半島の外交の主なものはやはり今までも、今も、そして未来も中国だと思います。

渤海と日本を研究するにつけ、そう感じます。

そして昔も今も朝鮮半島は日本にとって一番仲良くする国だと思っています。

友好親善さえ実現すれば栓がはずれた水道のようにドバッドバッと弾けるように交流が活発になるでしょう。なにしろ朝鮮半島は広大な大陸と陸続きです。良い意味で利用しない手はないだろうと思います。北朝鮮の莫大な地下資源は日本の技術で開発するのが一番ベターだと誰もが感じるはずです。

渤海の迎賓館があった北陸地方の港から昔の渤海の地、北朝鮮の東海岸沿いの地下資源や工場地帯に万トン級の貨物船が一日に何十隻も往来する姿を容易に想像できます。

ウイン・ウインという言葉がありますがこれほどのウイン・ウインはないと思います。

そうなれば核、ミサイルなんて無用の長物です。

「つぶやき」が実現すべく渤海研究をすすめます。

一三〇〇年前の渤海の遺使もそうでした。

北の重工業地帯、鉱物資源の宝庫と北陸などの海岸はいってみれば東海（トンヘ）＝日本海という「湖」の対岸です。技術大国ニッポン、資源豊富で他にはメンツもある北朝鮮、最高の組み合わせだと思いますがいかがでしょうか。

いろいろな政治家はそれを知っているから過去たびたび北を訪問しています。

北もたびたびアプローチしてきます。

インターネットや飛行機や長距離移動の大型船舶など何もなかった時代、渤海、いわゆる朝鮮半島は日本にとって最高の文化、技術の伝達ルートだったのです。
原点にかえって今まさにこの黄金のルートを再開拓するフォロンティアとして日本が出来ることは「夢のように」多いのです。

日朝平壌宣言（二〇〇二年）の北への経済協力や資金援助はそのまま日本経済の活力になることは誰もが知っています。

天下の名山　金剛山で命拾い

最後のつぶやきになりました。
綺麗に終わりたいと思い、天下の名勝金剛山をもってきました。
すこし長くつぶやきますのでご了承ください。
ダイヤモンド（金剛石）のように輝く山としてその名がついたといいます。

二〇二二年八月一〇日の韓国聯合ニュースは、朝鮮中央テレビが七日、「天下の絶勝、金剛山は滝の季節が真っ盛り」という番組を流し観光客を案内している様子も映し出したといいます。

本格的な観光に乗り出す気配がします。

でもその記事に映っている景色を見て背中がひやっとしました。

これまでの人生で命の危険は三度くらいありましたが、一度はあやうく交通事故、もう一度は検査が遅れていれば命にかかわる病気でした。

そしてあと一回がここです。

写真を見るだけでそのときのことがよみがえってきて怖くなります。

このニュースの金剛山の景色は間違いなく、あの上八潭（サンパルダン）です。

九龍（クリョン）の滝に行く途中から垂直に近い鉄梯子を一四回も登ります。全長七〇〇メートルです。

てっぺんに九龍台というバカでかい岩が頂上となっています。

恐る恐る下を見ると滝が数珠つなぎに並んでいるのが見えます。

そのうち八個が大きい滝なのでこの名前がついたそうです。

水浴びをしていた仙女が実直な若者と恋をしたという「仙女伝説」のところです。

上から眺めると「恐怖の絶景」とでもいえましょうか。

三〇人位が岩に座りガイドの話を聞くのですが、岩は平ではなく、やや丸みを帯びています。鉄の柵はあるにはあるものの、徐々に体が外側にはみ出していって、端にいた私はまさに全体重の七〇％くらいが外側にかかるようになってしまいました。声を出しただけで微妙なバランスが崩れて今にも落ちそうになるので誰にもこの危機を伝えられません。

二、三本の指をロッククライミングのように必至に岩に引っ掛け、体重を岩側に持っていこうとするのですが、これがなかなか難しいのです。脂汗も出てきます。まさに生きるか死ぬかの瀬戸際でしたが、ガイドや他の人は誰も気づいてくれません。

このときの危機感というのは実際に経験した人でなければ絶対に分からない感覚だと思います。

さすがにもうだめだ、ここで死ぬんだと思いました。それでも奇跡的になんとか最後の力を振り絞って辛くも体重を岩に乗せることができたのです。

掲載された中央テレビの写真（聯合ニュースがテレビからとったもの）は絶景ですが、自分にとっては恐怖以外なにものでもありませんでした。

私個人の恐怖と関係なく金剛山は天下の名山です。

王様が一日だけ見学しようと思った湖があまりにも綺麗だと言って三日も滞在を延長したとして名付けられた三日浦（サミルポ）という湖（ここでのボート遊びはグットでした）。東西四〇キロ、南北六〇キロの一万二〇〇〇の峰がすべてが「傑作」だといい、色んな名がついてる峰々。

特に毘盧峰（ピロボン）（一六三九メートル）は全景を見渡せる最高の展望台です。

鬼の顔と似ているから「鬼面岩」と名がついた大きな岩を初め奇岩の数々。

せせらぎに沿って流れる綺麗な川、桔梗などの花々、山全体が山梨の昇仙峡のようになっています。

海に沿っては東尋坊を何十倍にもしたような海金剛。そして大小の絶妙な滝、勝浦の那智の滝と、茨城の袋田の滝、静岡の白糸の滝、知床のオシンコシンの滝のようなものがあちこちに点在しています。

渓谷美はいうまでもなく、つり橋や岩のトンネルなども興をそそります。

仏教寺や石仏などもおおくあり、温泉も入ってみたのですが湯も最高です。

温泉といえば東海岸吉州（キルジュ）近くのある温泉場に行ったこともあります。

親戚の婦人たち、子どもたちと行きましたがやはりお湯は草津に似てよい風呂でした。

蓮池さんの著書によりますと七宝山に行かれたと書いてありますが、地図上はそこよりすこし下になります。

金剛山の温井里温泉は無色透明で疲労回復、心臓疾患、高血圧に効果があるそうです。

経済制裁のなか、金剛山は世界や、ましてや東アジアにすら大きく開放されてないので、今は「宝の持ち腐れ」状態です。

三八度線から一〇キロもないので休戦協定談判中もここの奪い合いで戦闘が絶えなかったといいます。

私が泊まったホテルは水晶のようだといって水晶峰（スジョンボン）と名付けた峰の目の前にありました。

当地の同年輩の人と二人で部屋のテラスから峰々を眺めながら、サントリーのウイスキー、ダルマを飲みます。今日の登山を回想しながら。私は水割り、彼はストレート。

峰々は夕焼けが赤から紫に染まり、空は薄暗くなります。格別な味なのは言うまでもありません。

酔いがまわってきたころ、彼がしみじみというのです。

「あなたが今日昼ご飯を食べたあの岩の後ろで村人三〇人が虐殺されたんだ」

「私の学校も空爆でクラスメートで私以外はすべて死んだんだ」と。

彼はダルマをグラス半分ぐらいずつを一気に飲む酒豪でした。

ボトルが空になってきたあたりで、ニキビ跡が多い彼が静かに立ち上がり詩を朗読するのです。

私は黙って聞き役です。有名な詩のようです。

のちに整理したところ、こういう詩でした。

私は解放された朝鮮の青年だ
生命も貴重だ　輝かしい明日の希望も貴重だ
しかし私の生命、私の希望、私の幸せ、それは祖国の運命より貴重ではない
一つしかない祖国のために二つもない生命だけど　私の青春を捧げることほど
そのような高貴な生命　美しい希望　偉大な幸福が

また　どこにあろうか

今の軍事境界線上にある一二一一高地争奪戦で敵戦車に弾ごと飛び込んだリ・スボク（李寿福一九五一年一〇月三〇日死亡、享年一八）という英雄の作った詩だと彼はいいます。私は返す言葉もありませんで、ただただグラスを回しながら目頭を押さえていました。

景色以外に、金剛山で一番印象に残っているのが何かといわれれば、落書きです。昇る途中の大きな岩のあちこちにあります。墓石のように彫ってあるのです

「南無阿弥陀仏」や
「早稲田大学〇〇学部　第〇期卒業生　昭和一四年何月何日」

「明治大学〇〇部　だれだれと実名　昭和一一年何月何日」

「日本何々会社　秋期旅行　昭和七年九月」

「〇〇大学　柔道部　昭和九年」

などなどです。

さすがにセーヌ川の橋のような南京錠はありませんでした。

登っていく先々にあります。

これを見て、ああ朝鮮は植民地だったんだなとあらためて実感しました。綺麗な景色と同時に、今頃鮮明にそのことも思い出されます。


かの若山牧水がいろいろ旅の短歌を残しています。私が好きというか気になる歌が、「幾山河　越えさり行かば　寂しさの　はてなむ國ぞ　今日も旅ゆく」です。

牧水は亡くなる一年前（一九二七年）に金剛山を旅して歌を残しています。

「わが立てる　峰も向ひの　山々も　並びきほ（そ）いて　天かけるごとし」

牧水も名峰金剛山に感嘆したようです。


保護条約の一九〇五年からは足かけ四一年というのはとても長い期間だなと改めて思いました。

金剛山ではないですが、夏目漱石の日記で平壌の部分も読んでみました。ある意味感無量です。折角ですから、すこし引用してみます。明治四二年（一九〇九年）九月

二九日のものから、

三時大同門に上る。大同江を望む。腰に天秤を結ひつけて水を負ふ。

万寿山の松。乙密台の眺望　石垣に蔦。垣半ば崩る。角楼廃頽。

白帽の人楼上にあり。

玄武門。

牡丹台。箕子廟。を見て（鵲しきりに飛ぶ。松の中）永明寺に下る。浮碧楼に憩ふ。楼下より渚に下り登船直ちに纜ともづなを解く。絶壁を削りて大朱字を刻す。清流拝といふのが見えた。

遠く斜陽を受けたる州の向の山が煙る。白帆一つ光る。

絶壁の下朱字を刻する所に日本の職（人）三人喧嘩をしてゐる。一人は半袖のメリヤスに腹掛屈竟の男一人は三尺の肌脱の体共に大阪弁なり。何時迄立つても埒あかず……

漱石はその後、京城（ソウル）に行きます。

京城着。車で天津（真）（楼）旅館に行く。道路よし。純粋の日本の開化なり。旅館も純日本式なり。角の十二畳にて心よし（九月三〇日）

景福宮。大院君の建物。光化門。蔦。静かなものなり。陶山氏通訳。……

午後尚（昌）徳宮に之く。内閣と名のつく妙な所を通る。左に折れて秘苑を見る。山あり、谷あり、松あり。細き流れあり。生まれてより以来未だ斯（かく）の如き庭園を見たる事なし。（一〇月四日）

それから七〇年後ほぼ同じ所へ行ったものとしては不思議な感じもします。漱石は短歌も残しています。

「高麗百済新羅の国を我行けば
我行く方に秋の白雲」（一〇月一〇日の日記より）

現代に住むわれわれの誰一人昨日は平壌（ピョンヤン）、今日は京城（ソウル）というような旅を七〇年以上していないので、何故か新鮮な衝撃があります。

余談ですが、このとき漱石は親友であった満鉄総裁の中村是公（一高の同期）の招きで満州・朝鮮を旅し、朝日新聞に「満韓ところどころ」として連載されます。その直後一〇月二六日ハルビンで伊藤博文が暗殺される現場に中村もいたのですが銃弾二発がかすっただけで無傷だったといいます。

余談の余談ですが漱石が見物した平壌という町がどこかに似ている、いや行った順番からいえばどこかが平壌に似ていると感じて地図を並べてみたことがあります。仕事上の関係でフランス、パリに行ったときのことでした。そのときはソ連上空を飛べなかったのでアンカレッジ経由です。そこで給油するので今の二倍近く時間がかかります。一八時間ぐらいでしょうか。町の真ん中にセーヌ川、その周辺に由緒ある建物が配置されている感じが似ています。

中州のシテ島にノートルダム寺院がありエッフェル塔、ルーブルやオルセー美術館やコンコルド広場、シャンゼリゼ通り、凱旋門などなど。

ピョンヤンは町の真ん中に大同江、その中州に競技場があり羊角島ホテル（のちにオープン）主体思想塔、人民大学習堂、キムイルソン広場、平壌大劇場、玉流館、博物館、凱旋門などなど。

漱石が行った大同門、乙密台（ウルミルデ）、浮碧楼などもそうです。都市そっくりコンクールがあれば上位に食い込むでしょう。漱石も船に乗りましたが、セーヌ川は遊覧船が人気です。

川の曲がり具合も似ています。ピョンヤンは公園のなかの都市といわれるだけあって緑も多く掛け値なしに美しい街です。

さてあの金剛山の岩に落書きをした学生が一九四〇年であればその時点で一八歳だったとして現在ではちょうど一〇〇歳ぐらいということでしょうか。日朝関係が良くなっても彼らは自分の書いたあの落書きを見に行けないだろうなと思うとなぜだか少しさびしい感じもします。

願生高麗國一見金剛山――（金剛山を一度見ることが一生の願いだ）

北宋代一の詩人、蘇東坡の詩です。

念ずれば花咲く

金剛山近くには馬息嶺（マシンリョン）という大きなスキー場もあり、ゴルフ場もつくられました。海岸沿いに大きなホテルや海水浴場も出来てるようです。元山からの道のりも侍中湖など見どころ満載です。

一大開発の予感がします。

この金剛山に多くの世界の人、東アジアの人々が自由にみんなが訪れられる未来、そのための解決すべきもろもろをつぶやいたのが本書だと思います。日本の百名山をめざす登山家も、各学校の修学旅行も、やまおんなも、四季折々の金剛山を楽しむことができる友好と親善の東アジアをつくることがわれわれ世代の大人にかせられた仕事かもしれません。

北だって本来は資金もかかり管理も大変な核など持ちたくなかったはずです。

知恵の輪を解くような難しい仕事ですが、何とか前に向かって、より良い、より平和な未来に向かって、一歩一歩確実に歩むことが大事です。

後期高齢者のつぶやきは理想論のようですが「念ずれば花咲く」です。

現在のような複雑で緊張している国際情勢で、夢のような綺麗ごとが実現するのかと思う人もいるかもしれません。

しかし私はいつも、映画のセリフではないですが「希望はいいものだよ、多分最高のものだ。いいものは決して滅びない」（映画「ショーシャンクの空に」一九九四）と信じています。

今がどん底、最悪であればあとは登るしかありません。

人類はそんなにやわではないと思っています。

東アジアだけ見ても皆がうずうずしているのがよく見てとれます。

先ほど「文明の衝突」というのがありましたが、数千年の昔から日本、コリア、中国は同じ文明に属していました。

このうずうずはそこからきていると思います。

この地域すべての国々が他国の顔色を見なくていい、本当の自主独立国家になれば一挙に世界最高の仲良し国になり、黄金の地帯になるに違いありません。今若者たちは海外で交流してもとても仲良く外から見たら日本、コリア、中国は同じ国の人に見えるはずです。

そしてタイトルの「潮流」ではないですが、そのような日は避けることのない現実としてひたひたと波が押し寄せるかのように迫ってきています。

本書の冒頭、「遺言といったら大げさかもしれませんが」と書きましたが、私のこの確信は私が現世に所属しなくても安心して見守ることのできる確信です。「つぶやき」が書いていくうちにいつの間にか「確信」などと大きく出ましたことは最後の一行になりますので、どうかお許しください。

あとがき

あとがきとして一編のエッセイ「ツルガ我が故郷」（作：小田原稔、発表年不明）を紹介します。

有名な『百万人の数学』を書いたイギリスの学者のランスロット・ホグベンの眼を通した「日本」の印象について触れています。

たとえば人生を生きるために星の名前や路傍の草の名前を知らないでも少しも困りはしない。有名なモーツアルトの音楽を一生の間に一度も聴くことなしに人生を終わる人も多いだろう。しかし人間としてそれは余りに実り少ない貧しい人生ではあるまいか。たった一度の人生なのに。ずっと以前『百万人の数学』という本を読んだ……

中身の数学の方は敬遠し、序文だけ読んだ。なぜというとそのなかに敦賀という地名があったからだ。……この人物が昭和の初め頃日本へやってきたのである。ウラジオストックから船で日本海を越え、敦賀に到着した。その頃は裏日本の港ながらも東京へ直通の国際列車が出ていたのである。彼は僅かの時間を利用して敦賀の町を見物する。

敦賀は古い港町である。時刻は多分朝だったようである。道路にはさっぱりと水が撒かれ、マッチ箱みたいに小さな家々が立ち並び、そして家々の玄関には朝顔の花が咲いていた。

たったそれだけの話だ。しかし彼はたったそれだけの風景に心を動かされた。だから数学の書物の序文にその感動を書かずにいられなかったのだと思う。そのささやかに美しかった敦賀の町、朝顔を咲かせ、貧しいが心豊かなこの町に今、私は住んでいる。

この地名の欄に読者の皆様の町や村の名を入れてください。または日本というそのものを入れてもいいかと思います。

敦賀の町を称賛しているようで、実は遠いヨーロッパ大陸から島国日本に上陸した外国人の新鮮な百数十年前の「日本」すべてに対する印象だろうと思います。

朝顔を咲かせて心豊かにつつましやかに生きる、ここに人生の原点があるように思えます。

一年後（二〇二四年春）その敦賀に新幹線が開通します。当分北陸新幹線の終点駅となります。

平成後最大規模の駅舎らしいです。

日本三大松原の一つ気比の松原もあります。

日本三大木造鳥居の気比神宮（西暦七〇二年創建）もあります。

朝鮮鐘という国宝もあります。

松尾芭蕉が奥の細道で一番多く句を残したところです。その一つ、

「名月や　北国日和　定めなし」は有名です。

水戸天狗党ゆかりの地でもあります。

北陸最大の夏の花火大会は最高のひとことです。

箸で有名な小浜や三方五湖が西側に、メガネフレームで有名な鯖江を東側に東尋坊なども近くにあります。越前ガニや海の幸も豊富です。

かつてヨーロッパを結ぶ国際港だった敦賀港は日本とコリアの将来の重要貿易港に

なるかもしれません。

そして、この町はあの渤海使節の迎賓館「松原客館」があった渤海研究の私の拠点です。

日本・コリア友好の拠点にしたいと思っています。

ずいぶん多くのことをつぶやいてきました。便宜上四つの章に分けてみましたが統一のこと、核のこと、日本コリア親善のことなどは論文のように明確に区分は出来なく相互連関性があります。前後の重複は多少ありますが、すべてが一つの「大きなかけら」とつながっているように思えます。

その「大きなかけら」といいますか、最初のボタンのかけ間違いが、本来人類すべて仲良しのはずが二一世紀にもなっても情けないほどいがみ合ってる現実に直面しています。

それでも決して希望を捨てずに、日々より良い明日に向かって力強く生きて行こうではないかというのが「つぶやき」の本音でもあります。無名の後期高齢者のたわごとのような「つぶやき」でお読みぐるしい点など多々おありだったでしょうが、どうかご容赦のほどお願いいたします。

お読みになられた皆様にふかく感謝申し上げながらここにペンを置かさせていただきます。

最後に三一書房編集部の皆さまに感謝するとともに、私の人生で巡り合った縁（えにし）のあった方々に、心の底から「出会ってくれてありがとうございます」と申し上げます。

二〇二三年三月一日

著者

【巻末資料】

1、南北共同声明（一九七二年七月四日、ソウルおよび平壌において）

最近平壌とソウルで南北関係を改善し、分断された祖国を統一する諸問題を協議するための会談が開かれた。ソウルの李厚洛中央情報部長が一九七二年五月二日から五日まで、平壌を訪問して、平壌の金英柱組織指導部長と会談し、金英柱部長の代理として朴成哲第二副首相が七二年五月二九日から六月一日の間ソウルを訪問して李厚洛部長と会談した。

これらの会談で、双方は祖国の平和的統一を一日も早くもたらさねばならないという共通の念願をいだいて虚心たん懐に意見を交換し、双方の理解を増進させるうえで多大な成果を収めた。

この過程において、双方は互いに長らく会えなかったために生じた南北間の誤解、不信を解き、緊張を緩和させ、ひいては祖国統一を促進するため、次の問題に関して完全な意見の一致に到達した。

一、双方は次のような祖国統一に関する原則で合意した。

（あ）統一は外国勢力に依存するかまたは干渉を受けることなく自主的に解決すべきである、（い）統一はお互に武力行使によらず、平和的方法で実現すべきである、（う）思想と理念、制度の差違を超越してまず単一民族としての民族的大団結をはかるべきである。

一、双方は南北間の緊張状態を緩和し信頼の雰囲気を醸成するためにお互に相手を中傷、ひぼうせず、大小を問わず武装挑発をせず、不意の軍事的衝突事件を防止するために積極的な措置をとることに合意した。

一、双方は断たれた民族的連係を回復し、互いの理解を増進させ、自主的平和統一を促進させるために南北間の多方面的な諸交渉を実施することに合意した。

一、双方は現在、民族の至大な期待のうちに進行されている南北赤十字会談が一日も早く成功するよう積極的に協調することに合意した。

一、双方は突発的軍事事故を防止し、南北間で提起される諸問題を直接・敏速・正確に処理するためにソウルと平壌間にホットライン（常設直通電話）を設けることに合意した。

一、双方は以上の合意事項を推進するとともに南北間の諸問題を改善・解決することで合意した。双方はまた祖国統一原則に基づいて統一問題を解決する目的で李厚洛部長と金英柱部長を共同委員長とする南北調節委員会を構成運営することに合意した。

一、双方は以上の合意事項は祖国統一を渇望する民族全体の念願に符合すると確信し、この合意事項を誠実に履行することを民族の前に厳粛に約束する。

互いに上司の意を体し。

李厚洛
金英柱

一九七二年七月四日

2、南北共同宣言

祖国の平和統一を念願する全同胞の崇高な意思により、大韓民国の金大中大統領と朝鮮民主主義人民共和国の金正日国防委員長は、二〇〇〇年六月一三日から一五日までピョンヤンで歴史的に対面し、首脳会談を行なった。南北首脳は分断の歴史上初めて開かれた今回の対面と会談が、互いの理解を増進させて南北関係を発展させて、平和統一を実現するのに重大な意思を持つと評価し、次のように宣言する。

一、南と北は国の統一問題を、その主人である我が民族同士で互いに力を合わせ、自主的に解決していくことにした。

二、南と北は国の統一のため、南の連合制案と北側のゆるやかな段階での連邦制案が、互いに共通性があると認め、今後、この方向で統一を志向していくことにした。

三、南と北は今年の八・一五に際して、離散家族、親戚の訪問団を交換し、非転向長期囚問題を解決するなど、人道的問題を早急に解決していくことにした。

四、南と北は経済協力を通じて、民族経済を均衡的に発展させ、社会、文化、体育、保険、環境など諸般の分野での協力と交流を活性化させ、互いの信頼を高めていくことにした。

五、南と北は、以上のような合意事項を早急に実践に移すため、早い時期に当局間の対話を開始することにした。

金大中大統領は金正日国防委員長がソウルを早急に訪問するよう丁重に招請し、金正日国防委員長は今後、適切な時期にソウルを訪問することにした。

二〇〇〇年六月一五日

大韓民国大統領　金大中
朝鮮民主主義人民共和国国防委員長　金正日

3、一〇・四南北共同宣言

大韓民国の盧武鉉大統領と朝鮮民主主義人民共和国の金正日国防委員長の合意にもとづいて、盧武鉉大統領は二〇〇七年一〇月二日から四日まで平壌を訪問した。

訪問期間中歴史的な出会いと会談が実現した。

出会いと会談では六・一五共同宣言の精神を再確認し、南北関係発展と韓半島の平和、民族共同の繁栄と統一を実現するための諸般の問題について虚心坦懐に協議した。

双方は我が民族同士の意志と力を合わせれば、民族繁栄の時代、自主統一の新しい時代を開くことができるという確信を表明しながら、六・一五共同宣言にもとづいて南北関係を拡大、発展させていくために次のように宣言する。

一、南北は六・一五共同宣言を固く守り、積極的に具現していく。

南北は我が民族同士の精神にもとづいて統一問題を自主的に解決していき、民族の尊厳と利益を重視し、すべてのことをこうした考えにもとづいて実施していくことにした。

南北は六・一五共同宣言を一貫して履行していく意志を反映して、六月一五日を記念する方法を検討することにした。
二、南北は思想と制度の違いを乗り越え、南北関係を相互尊重と信頼の関係に確固として転換させていくことにした。
南北はともに内部問題に干渉せず、南北関係に関する問題は和解と協力、統一の精神に符合する方向で解決していくことにした。

南北は南北関係を統一志向的に発展させるために、それぞれ法律的、制度的装置を整備していくことにした。

南北は南北関係拡大と発展のための問題を民族の念願に沿った方向で解決するために、双方の議会など、各分野の対話と接触を積極的に推進していくことにした。
三、南北は軍事的敵対関係を終息させ、韓半島での緊張緩和と平和を保障するために、緊密に協力していくことにした。
南北は互いに敵対視せず、軍事的緊張を緩和し、紛争問題を対話と協議を通じて解決することにした。

南北は韓半島でのいかなる戦争にも反対し、不可侵義務を確固として遵守することにした。

南北は西海での偶発的衝突防止のため共同漁労水域を指定し、この水域を平和水域にするための方法と、各種の協力事業に対する軍事的保障措置問題など、軍事的信頼構築措置について協議するため、南の国防部長官と北の人民武力部部長の会談を今年一一月中に平壌で開催することにした。

四、南北は現在の停戦体制を終息させ、恒久的な平和体制構築に向かっていくべきだという認識で一致し、直接関連した三者または四者の首脳が韓半島地域で会い、終戦を宣言することを推進するために協力していくことにした。

南北は韓半島の核問題を解決するために六カ国協議、九・一九共同声明と二・一三合意が順調に履行されるよう共同で努力することにした。

五、南北は民族経済の均衡発展と共同繁栄のために経済協力事業を共利共栄と有無相通の原則にもとづいて積極的に活性化し、持続的に拡大発展させていくことにした。

南北は経済協力のための投資を奨励し、基盤施設の拡充と資源開発を積極的に進め、民族内の協力事業の特殊性を考慮して各種の優待条件と特恵を優先的に与えることにした。

南北は海州地域と周辺海域を包括する『西海平和協力地帯』を設置し、共同漁労区域と平和水域の設定、経済特区建設と海州港の活用、民間船舶の海州直航路通過、漢江河口の共同利用などを積極的に推進していくことにした。

南北は開城工業団地第一段階の建設をできるだけ早い時期に完成させ、第二段階の開発に着手するとともに、ムンサン―ボンドン間の鉄道貨物の輸送を開始し、通行、通信、通関の問題をはじめとする諸般の制度的保障措置を速やかに完備していくことにした。

南北は開城―新義州間の鉄道と開城―平壌間の高速道路を共同で利用するため、改修及び補修問題を協議、推進していくことにした。

南北は安辺と南浦に造船協力団地を建設し、農業、保健医療、環境保護など、多様な分野の協力事業を進めていくことにした。

南北は南北経済協力事業を円滑に推進するため、現在の「南北経済協力推進委員会」を、副総理級の「南北経済協力共同委員会」に格上げすることにした。

六、南北は民族の悠久な歴史と優秀な文化を輝かせるため、歴史、言語、教育、科学技術、文化芸術、スポーツなど、社会文化分野の交流と協力を発展させていくことにした。

南北は白頭山観光を実施することにし、そのために白頭山―ソウル間の直航路を開設することにした。

南北は二〇〇八年北京オリンピックに南北の応援団が京義線列車を利用して参加することにした。

七、南北は人道主義協力事業を積極的に推進していくことにした。

南北は離散家族や親戚の再会を拡大し、映像手紙交換事業を推進することにした。

そのため金剛山面会所が完成した際には双方の代表を常駐させ、離散家族と親戚の再会を常時進めることにした。

南北は自然災害をはじめとする災難が発生した場合、助け合いの原則にのっとって積極的に協力していくことにした。

八、南北は国際舞台で民族の利益及び海外同胞の権利と利益のために協力を強化していくことにした。

南北はこの宣言を履行するため南北総理会談を開催することにし、第一回会議を今年一一月中にソウルで開くことにした。

南北は南北関係発展のために首脳が随時会って、懸案問題を協議することにした。

二〇〇七年一〇月四日　平壌

大韓民国大統領　盧武鉉

朝鮮民主主義人民共和国国防委員長　金正日

4、朝鮮半島の平和と繁栄、統一のための板門店宣言

朝鮮民主主義人民共和国金正恩国務委員長と大韓民国文在寅大統領は、平和と繁栄、統一を念願する全同胞の一貫した指向を込め、朝鮮半島で歴史的な転換が起こっている意義深い時期に、二〇一八年四月二七日板門店の「平和の家」で北南首脳会談を行なった。

北南首脳は、朝鮮半島にもはや戦争は存在せず、新たな平和の時代が開かれたことを八〇〇〇万のわが同胞と全世界に厳粛に闡明した。

北南首脳は、冷戦の産物である長い分断と対決を一日でも早く終息せしめ、民族的和解と平和繁栄の新たな時代を果敢に開いていき、北南関係をより積極的に改善し、発展させていけなければな

らないという確固たる意志を込めて、歴史の地、板門店で次のとおり宣言した。

一、北と南は、北南関係の全面的で画期的な改善及び発展を達成することにより、断たれていた民族の血脈をつなぎ、共同繁栄と自主統一の未来を早めて行かんとするものである。

北南関係を改善し発展させることは、全同胞の一貫した望みであって、これ以上後回しにすることのできない、時代の切迫した要求である。

①北と南は、わが民族の運命は、私たち自ら決定するという民族自主の原則を確認し、既に採択された北南宣言と、全ての合意を徹底して履行することにより、関係改善と発展の転換的局面を開いていくこととした。

②北と南は、高位級会談を始めとした各分野の対話と協商を早い時日内に開催し、首脳会談で合意された問題を実践するための積極的な対策を立てていくこととした。

③北と南は、当局間の協議を緊密にし、民間交流及び協力を円滑に保障するため、双方の当局者が常駐する北南共同連絡事務所を開城地域に設置することとした。

④北と南は、民族的和解と団結の雰囲気を高調させていくため、各界各層の多方面的な協力並びに交流・往来及び接触を活性化することとした。

内では、六・一五を初めとし、北と南にともに意義を有する日を契機として、当局及び議会、政党、地方公共団体、民間団体等各界各層が参加する民族共同行事を積極的に推進し、和解と協力の雰囲気を高調させ、外では、二〇一八年アジア競技大会を初めとした国際競技に共同で進出し、民族の才知と才能、団結した姿を全世界に誇示することとした。

⑤北と南は、民族分断で発生した人道的問題を早急に解決するため努力し、北南赤十字会談を開催して離散家族・親戚の対面を初めとした諸般の問題を協議・解決していくこととした。

差しあたり、来たる八・一五を契機として離散家族・親戚の対面を行なうこととした。

⑥北と南は、民族経済の均衡的発展と共同繁栄を成し遂げるため、一〇・四宣言で合意された事業を積極的に推進していき、一次的に東・西海線鉄道及び道路を連結し、現代化して活用するための実践的対策を取っていくこととした。

二、北と南は、朝鮮半島で尖鋭化した軍事的緊張状態を緩和し、戦争の危険を実質的に解消するため、共同で努力して行かんとするものである。

朝鮮半島の軍事的緊張状態を緩和し、戦争の危険を解消することは、民族の運命に関連する、至って重大な問題であって、わが同胞の平和で安定した生活を保障するための要となる問題である。

①北と南は、地上、海上及び空中を初めとした全ての空間で、軍事的緊張及び衝突の根源となる相手方に対する一切の敵対行為を全面的に中止することとした。

差しあたり、五月一日から軍事分界線一帯で拡声器放送及びビラ撒布を初めとした全ての敵対行為を中止し、その手段を撤廃し、今後非武装地帯を実質的な平和地帯としていくこととした。

②北と南は、南と北は、西海「北方限界線」一帯を平和水域とし、偶発的な軍事的衝突を防止し、安全な漁撈活動を保障するための実際的な対策を立てていくこととした。

③北と南は、相互協力と交流、往来と接触が活性化されるに伴う各種の軍事的保障対策を取ることとした。

北と南は、双方間に提起される軍事的問題を遅滞なく協議・解決するため、人民武力相会談を始めとした軍事当局者会談を頻繁に開催し、五月中にまず、将官級軍事会談を開くこととした。

三、北と南は、朝鮮半島の恒久的で鞏固な平和体制の構築のため積極的に協力して行かんとするものである。

朝鮮半島で非正常的な現在の停戦状態を終息させ確固たる平和体制を樹立することは、これ以上先送りすることのできない歴史的課題である。

①北と南は、いかなる形態の武力も互いに使用しないということについての不可侵合意を再確認し、厳格に遵守していくこととした。

②北と南は、軍事的緊張が解消され、相互の軍事的信頼が実質的に構築されるに従い、段階的に軍縮を実現していくこととした。

③北と南は、停戦協定締結六五年になる本年に終戦を宣言して、停戦協定を平和協定に転換し、恒久的で鞏固な平和体制構築のための北・南・米三者又は北・南・中・米四者会談開催を積極的に推進していくこととした。

④北と南は、完全な非核化を通じ、核のない朝鮮半島を実現するという共同の目標を確認した。

北と南は、北側が取っている主導的な措置が朝鮮半島非核化のために大変意義があり重大な措置であるという点で認識を同じくし、今後それぞれ自己の責任と役割を尽くすこととした。

北と南は、朝鮮半島非核化のための国際社会の支持と協力のため、積極的に努力していくこととした。

北南首脳は、定期的な会談と直通電話を通じて民族の重大事を随時に真摯に論議し、信頼を堅固にし、北南関係の持続的な発展並びに朝鮮半島の平和、反映及び統一に向かうよい流れをより拡大していくため共に努力することとした。

さしあたり、文在寅大統領は、本年秋平壌を訪問することとした。

二〇一八年四月二七日 板門店

朝鮮民主主義人民共和国国務委員会委員長　金正恩

大韓民国大統領　文在寅

【注】

（注1）王建：九一八年、高麗を建国した人物。太祖王建ともいう。九三六年までに新羅、後百済を併合して朝鮮を統一した。在位期間は九一八～九四三年。「高麗史」の記録などによると、王建は高麗を高句麗の継承王朝として旧領を取り戻すために尽力したとある。高句麗の後継国渤海を契丹が滅ぼした事に激怒した太祖は、契丹から送られてきたラクダ五〇頭を飢え死にするまで開城の万夫橋にぶら下げ、その使臣三〇名を島に幽閉したといわれている。（「訓要十条」）

（注2）李成桂：一三九二年、李氏朝鮮建国の始祖。初代国王。在位期間一三九二～一三九八年。高麗の武官であったが高麗王、昌王の反明政策に反対し明への遠征中に起こしたクーデターで高麗王を廃位せしめ新政権を作り王位についた。これを題材にした韓国ドラマ「六龍が飛ぶ」などがある。

（注3）ポプラ事件：一九七六年八月一八日、板門店で発生した事件。共同警備区域内に植えられていたポプラ並木の一本を剪定しようとしたアメリカ陸軍工兵隊に対して朝鮮人民軍将兵が攻撃を行ない、二名のアメリカ陸軍士官を殺害、数名の韓国軍兵士が負傷した。視界を遮るほどに成長していたポプラを剪定したい旨要望があったが、北は反対していた。国連軍が強引に剪定しようとしたことから事件につながった。

（注4）臨津江：韓国と北朝鮮の軍事境界線に近いことから南北分断の悲劇を語る舞台として登場する。北の山岳部に源を発して黄海に注ぐ川。全長二七三キロ。坡州市の南で漢江と合流する。

（注5）朱蒙：高句麗の始祖。東明王。（在位前三七〜前一九）三国史記のなかの高句麗本紀の冒頭に高句麗建国に至る経緯が書かれている。弓矢がうまいので扶余の俗語で善射のことをいう「朱蒙」という名が与えられたという。東明王陵はピョンヤンの中心地から二五キロ離れた龍山里にある。

（注6）ストックホルム・アピール：一九五〇年、ストックホルムで開かれた、世界平和擁護会議第三回常任委員会総会で決議された原子兵器使用禁止の訴え。原子兵器の禁止・原子力の国際管理・最初の原爆使用政府を戦争犯罪人とするの三項目からなり、各国で署名運動が行なわれた。

（注7）ＮＰＴ：「核兵器不拡散条約」。一九七〇年に条約として正式に発効し、一九九五年にその効力を無期限に延長することが決定された。世界で一九〇か国（二〇一二年現在）加盟。参加してない国はインド、パキスタン、イスラエル、北朝鮮（脱退）。

（注8）ゲルニカ：スペインの画家パブロ・ピカソがドイツ空軍による無差別爆撃を受けた一九三七年に描いた。スペインの北部バスク地方の町ゲルニカが爆撃を受けたのでこの名で制作した。徳島県にある大塚美術館には絵画の実物大レプリカが置かれている。丸の内オアゾ一階にはピカソの遺族の承諾を得て作成されたセラミック製の複製が提示されている。

（注9）プエブロ号事件：一九六八年一月にアメリカ海軍の情報収集艦プエブロ号が北朝鮮に拿捕された事件。乗員一名死亡、八二名が北朝鮮に身柄拘束された。アメリカは謝罪文書に調印して乗員は一一か月間の拘束の後に同年一二月に解放された。船体は返還されず、現在もピョンヤン市内の大同江に係留されている。

（注10）EC—121機撃墜事件：一九六九年四月一五日にアメリカ海軍の電子偵察機が北朝鮮に撃墜された事件。乗員三一名全員が死亡した。報復のために戦術核兵器による北朝鮮への攻撃準備をニクソン大統領は軍に命じるも、当時、大統領が酩酊状態のため、キッシンジャー大統領補佐官が「大統領が酔いに醒めるまで待ってほしい」と進言して撤回された。（Wikipedia より）

（注11）ニューヨークフィルのピョンヤン公演：アメリカ国旗の下で国歌「星条旗」が演奏されたとき、観覧席の北朝鮮国民が全員起立して聴き入る場面は妙な新鮮さがある。

（注12）檀君神話：檀君とは古朝鮮の始祖。北朝鮮は遺跡発掘により檀君は古朝鮮を建国した実在の人物であったと発表している。X線調査で解明。檀君の陵はピョンヤン市カンドン郡にある。檀君とその妻の遺骨が保存されている。

（注13）凱旋門（北朝鮮）：一九八二年四月一五日、金主席の生誕七〇周年を記念して建てられた世界最大の凱旋門。日本の支配から解放された一九四五年一〇月一四日、ピョンヤンに凱旋した金日成将軍が民衆の前で凱旋演説を行なった場所に建てられた。高さ六〇メートル、一万五〇〇〇個の花崗岩で造られている。

（注14）任那日本府：日本が四世紀後半から二〇〇年にわたって朝鮮半島南部の任那加羅地域を支配下に置き、その支配のために設置したとされる機関。広開土王碑や日本書紀の検証が進むにつれその存在が疑問視されるようになった。五世紀前半代に高句麗の政治勢力がこの地に及んだことは多様な文物や古墳などによって立証されてきている。

（注15）関東大震災時朝鮮人虐殺：一九二三年九月一日に発生した関東大震災の混乱のなかで「朝鮮人や共産主義者が井戸に毒を入れた」という流言が流され、軍隊・官憲や自警団などが多数の朝鮮人や共産主義者を虐殺した。日本政府は現在に至るまで事実究明を行なっていない。